NEW
서울대 선정
인문고전
60선

60
칸트 실천이성비판

KB067122

NEW 서울대 선정 인문 고전 60
만화 **칸트 실천이성비판**

개정 1판 1쇄 발행 | 2019. 8. 21
개정 1판 2쇄 발행 | 2021. 9. 27

심옥숙 글 | 주경훈 그림 | 손영운 기획

발행처 김영사 | 발행인 고세규
등록번호 제 406-2003-036호 | 등록일자 1979. 5. 17.
주소 경기도 파주시 문발로 197 (우-10881)
전화 마케팅부 031-955-3100 | 편집부 031-955-3113~20 | 팩스 031-955-3111

값은 표지에 있습니다.
ISBN 978-89-349-9485-5
ISBN 978-89-349-9425-1(세트)

좋은 독자가 좋은 책을 만듭니다. 김영사는 독자 여러분의 의견에 항상 귀 기울이고 있습니다.
전자우편 book@gimmyoung.com | 홈페이지 www.gimmyoungjr.com

이 도서의 국립중앙도서관 출판예정도서목록(CIP)은 서지정보유통지원시스템 홈페이지(http://seoji.nl.go.kr)와
국가자료종합목록시스템(http://www.nl.go.kr/kolisnet)에서 이용하실 수 있습니다. (CIP제어번호 : CIP2018043093)

어린이제품 안전특별법에 의한 표시사항
제품명 도서 제조년월일 2021년 9월 27일 제조사명 김영사 주소 10881 경기도 파주시 문발로 197
전화번호 031-955-3100 제조국명 대한민국 ⚠주의 책 모서리에 찍히거나 책장에 베이지 않게 조심하세요.

미래의 글로벌 리더들이 꼭 읽어야 할 인문고전을 만화로 만나다

NEW 서울대 선정 인문고전 60선

60

칸트 실천이성비판

심옥숙 글 · 주경훈 그림

주니어김영사

⟨NEW 서울대 선정 인문고전60⟩이 국민 만화책이 되기를 바라며

　제가 대여섯 살 때 동네 골목 어귀에 어린이들에게 만화책을 빌려주는 좌판 만화 대여소가 있었습니다. 땅바닥에 두터운 검정 비닐을 깔고 그 위에 아이들이 좋아하는 만화책을 늘어놓는데, 1원을 내면 낡은 만화책 한 권을 빌릴 수 있었지요. 저는 그곳에서 만화책을 보면서 한글을 깨쳤고 책과의 인연을 맺었습니다.

　초등학교 때는 용돈을 아껴서 책을 사서 읽었고, 중학교 때는 학교 도서 반장을 맡아 도서관에서 매일 밤 10시까지 있으면서 참 많은 책을 읽었습니다. 그 무렵 헤밍웨이의 《노인과 바다》를 손에 땀을 쥐며 읽으면서 인생에 대해 고민했고, 헤르만 헤세의 《수레바퀴 아래서》를 읽으며 사춘기의 심란한 마음을 달랬습니다. 김래성의 《청춘 극장》을 밤새워 읽는 바람에 다음 날 치르는 중간고사를 망치기도 했습니다.

　당시 저의 꿈은 아주 큰 도서관을 운영하는 사람이 되어 온종일 책을 보면서 책을 쓰는 작가가 되는 것이었습니다. 나이가 들고 어느 정도 바라는 꿈을 이루었습니다. 큰 도서관은 아니지만 적당한 크기의 서점을 운영하고, 글을 쓰는 작가가 되었거든요. 저는 여기에 새로운 꿈을 하나 더 보탰습니다. 그것은 즐거운 마음과 힘찬 꿈을 가지게 해 주고, 나아가 자기 성찰을 도와주는 좋은 만화책을 만드는 일이었습니다. 이렇게 해서 만든 책이 바로 ⟨서울대 선정 인문고전⟩입니다. 서울대학교 교수님들이 신입생과 청소년들이 꼭 읽어야 할 책으로 추천한 도서들 중에서 따로 60권을 골라 만화로 만든 것입니다. 인류 지성사의 금자탑이라고 할 수 있는 고전을 보기 편하고 이해하기 쉽도록 만화책으로 만드는 일은 쉬운 일은 아니었습니다. 약 4년 동안에 수십 명의 학교 선생님들과 전공 학자들이 원서의 내용을 정확하게 전달할 수 있도록 밑글을 쓰고, 수십 명의 만화가들이 고민에

고민을 거듭하면서 만화를 그려 60권의 책을 만들었습니다.

〈서울대 선정 인문고전〉이 완간되었을 무렵에 우리나라에 인문학 읽기 열풍이 불기 시작했습니다. 〈서울대 선정 인문고전〉은 인문학 열풍을 널리 퍼뜨리는 데 한몫을 하면서 독자들의 뜨거운 사랑과 관심을 받았습니다. 덕분에 지금까지 수백만 권이 팔리는 베스트셀러가 되었습니다. 그 사랑에 조금이나마 보답을 하기 위해 《칸트의 실천이성 비판》, 《미셸 푸코의 지식의 고고학》, 《이이의 성학집요》 등 우리가 꼭 읽어야 할 동서양의 고전 10권을 추가하여 만화로 만들었습니다.

〈서울대 선정 인문고전〉은 어린이와 청소년이 부모님과 함께 봐도 좋을 만화책입니다. 국민 배우, 국민 가수가 있듯이 〈서울대 선정 인문고전〉이 '국민 만화책'이 되길 큰마음으로 바랍니다.

손영운

어떻게 행동하는 것이 옳을까요?

이마누엘 칸트만큼 자신의 철학을 실제 삶을 통해서 보여 준 철학자는 그리 많지 않습니다. 칸트 하면 줄곧 따라다니는 몇 가지 유명한 에피소드가 있는데, 이를 자세히 살펴 보면 칸트의 철학이 일상에 어떤 모습으로 펼쳐지는지 잘 알 수 있지요.

칸트는 매일 규칙적으로 생활한 것으로 유명합니다. 기상 시간부터 산책하고 잠자리에 드는 시간까지 정확하게 시간을 지켰습니다. 그 시간이 어찌나 정확한지 칸트가 산책하는 모습을 보고 마을 사람들은 집 안의 시계를 맞출 정도였어요. 그야말로 계획적으로 시간 관리를 했습니다.

또한 칸트는 고향에서 30킬로미터 밖으로 나가 본 적이 없습니다. 그럼에도 그는 세상 돌아가는 일을 누구보다도 잘 알았어요. 당시에는 어느 선생님이 훌륭하다고 하면 그 지역으로 유학하거나 여행을 떠나 공부하는 사람들이 많았습니다. 하지만 칸트는 자신이 살고 있는 작은 도시를 떠나서 공부한 적이 없었습니다. 홀로 포기하지 않고 끈질기게 노력하면서 자신이 세운 목표를 실현했죠. 칸트는 자신의 일생을 통해 의지는 '계획을 세우는 것'이 아니고 '실천하고 노력하는 것'이라는 점을 말하고 있습니다. 그가 쓴 책 《실천이성비판》에서 말하는 이성에 따른 자유 의지와 실천 능력을 몸소 실천한 셈이지요.

칸트는 이성의 실천 능력은 순간의 감정에서 나오지 않고 객관적인 법칙에서 나온다고 말합니다. 이러한 법칙을 설명하고 논증하기 위해서 쓴 책이 바로 《실천이성비판》입니다.

이 책에서 칸트는 사람에게 무엇보다 중요한 건 행동과 실천이라고 강조합니다. 그리고 누구나 자신의 행동이 가치 있기를 바라는데, 이것이 곧 도덕과 윤리적인 태도라고 말하지요.

물론 사람의 내면에는 도덕 원리만 있는 것은 아니고 욕망과 충동에 따르는 자연법칙도 있습니다. 칸트는 자연법칙과 도덕 법칙, 이 두 가지 중에서 우리가 행동하는 데 필요한 법칙은 도덕 법칙이라고 말했습니다. 도덕 법칙은 사람이라면 누구나 예외 없이 적용되는 '보편적'인 법칙이자 하나의 명령이지요. 도덕 법칙은 다른 사람의 강요에 의해서가 아닌 개인 스스로 자신에게 내린 자율적인 명령입니다. 이성이 우리 자신에게 어떻게 행동하는 것이 옳은가를 알려 주는 명령이기 때문에 매우 중요하다고 강조하고 있지요. 예를 들어 다른 사람을 도울 때 자신의 이성과 의지에 따라서 당연히 해야 할 일로 생각하고 도왔다면 그것은 도덕 법칙에 따른 행동이라고 할 수 있어요. 반면 나중에 자신에게 돌아올 이익이나 대가를 기대하고 다른 사람을 도왔다면 그 행동은 이성의 명령에 따른 행동이라고 볼 수 없습니다.

칸트의 철학은 도덕과 윤리의 가치가 점점 사라지는 현대 사회에 많은 질문을 던집니다. 도덕적 의무를 행하는 것은 어떤 상황에 의해 달라지거나 충동적으로 지키는 것이 아닌 '거부할 수 없는 이성의 명령'이라는 칸트의 말을 되새기며 사람이 사람답기 위해서는 어떻게 행동해야 하는지 이번 기회에 생각해 봤으면 좋겠습니다.

심옥숙

우리 마음속에 빛나는 도덕 법칙

"생각하면 할수록 점점 더 커지는 놀라움과 두려움에 휩싸이게 하는 두 가지가 있다. 별이 빛나는 하늘과 내 마음속 도덕 법칙이 그것이다."

칸트 평생에 걸친 고뇌와 지성이 압축적으로 들어간 말입니다. 문장을 곱씹으며 생각할수록 칸트의 위대한 정신을 절절하게 느끼게 됩니다.

그중에서도 '내 마음속 도덕 법칙'이라는 말이 계속 마음에 남았습니다. 칸트는 왜 이토록 도덕 법칙을 강조했을까요? 그가 외친 도덕 법칙이란 무엇일까요? 저도 모르게 절로 궁금증이 생겼습니다.

오늘날 세계 곳곳에서 일어나는 일을 돌아볼까요? 사람들은 빈부 격차와 인종 차별, 각종 범죄, 전쟁에 대한 공포를 느끼며 살아가고 있습니다. 저는 이런 문제들의 근본 원인은 도덕 법칙의 상실에 있다고 생각합니다. 물질만능주의와 이기적인 마음이 사람들끼리 불신하고 미워하게 만들고 있다고요.

칸트가 말한 도덕이란 무엇일까요? 그것은 지역이나 공간에 따라 달라지는 게 아니라 인류 모두 인정할 수 있는 객관적인 도덕을 말합니다. 그는 도덕을 인간 각자의 내면에서 우러나오는 영혼의 목소리라고 했지요. 우리는 흔히 착한 일을 하면 그 결과만 보고 칭찬하는데, 칸트는 동기가 순수하지 않으면 착한 일이 아니라고 말합니다. 어떠한 경우에도 인간은 수단이 아닌 목적이어야 한다고도 했고요.

　그는 특히 어린이들에게 도덕 법칙을 교육하는 방법으로 문답법을 강조했습니다. 문답법 교육으로 도덕 법칙을 완전하게 기를 수 있다고 생각했지요.

　우리 마음을 단련시키고, 생의 안락함에 물들지 않도록 조심하라는 말도 덧붙였습니다. 그의 사상을 알면 알수록 도덕을 실천하는 길이 참 어렵다고 느꼈습니다. 그 역시 온갖 고난을 이겨낸 후에 얻을 수 있는 것이 최고의 도덕이라고 했지요.

　칸트의 사상은 철학사에서도 중요한 위치를 차지합니다. 서양 철학을 종합하고 체계화했기 때문입니다. 인간은 누구나 천성적으로 양심과 같은 신성하고 고귀한 성질이 있고, 그것을 계몽을 통해 확장하려고 시도한 첫 번째 철학자가 칸트였습니다.

　물론 칸트에 대한 비판도 적지 않습니다. 인간은 내면에 완벽한 도덕 법칙을 타고 난다고 하면서 한편으로는 신의 존재와 영혼 불멸을 믿어야 최고의 도덕 법칙이 완성된다고 주장했기 때문이죠. 이 점이 한계로 지적되기는 하지만 신칸트주의가 등장하며 그의 철학을 현대에 맞게 재해석하고 연구하며 계승하고 있습니다.

　칸트 철학이 오늘날에도 가치가 있는 이유는 도덕의 실천이 인류에게 영원한 행복을 가져다 줄 수 있음을 깨닫게 해 주기 때문입니다. 개인의 행복이 인류의 행복이고, 인류가 다 함께 행복할 수 있는 유일한 방법은 개개인이 도덕을 실천했을 때라는 점을 기억하길 바랍니다. 이 말이 진심임을 깨달을 때 칸트의 말처럼 내 마음속 도덕 법칙에 놀라고 두려워하게 될 것입니다.

주경훈

| 차례 |

1장

《실천이성비판》은 어떤 책인가?

칸트의 철학은 흔히 '비판 철학'이라고 불려.

그가 쓴 세 권의 책 제목에 '비판'이 들어가는 이유도 있지만

칸트 스스로 자신의 철학을 '비판 철학'이라고 불렀기 때문이야.

내가 비판을 좀 잘해.

칸트가 쓴 세 권의 비판 철학 서적은 《순수이성비판》, 《실천이성비판》, 《판단력비판》이야.

1781년에 펴낸 책 《순수이성비판》은 인간의 인식론을 다루었어.

우리는 무엇을 알 수 있는가?

그로부터 7년 뒤에 펴낸 책 《실천이성비판》은 인간의 윤리를 심층적으로 다루고 있지.

인간 윤리

우리는 무엇을 해야 하는가?

1790년에 펴낸 책 《판단력비판》은 인간의 고급 이성 능력 중 하나인 판단력에 대해 심층적으로 다루었어.

우리는 무엇을 바랄 수 있는가?

세 권의 책 중에서 《실천이성비판》은 근대 철학의 기초를 다진 책으로 높이 평가받고 있어.

우리가 중점적으로 살펴볼 책이야.

실천이성비판

근대 철학

칸트는 왜 《실천이성비판》을 썼을까?

그 이유를 알려면 우선 칸트가 사람에 대해 어떤 생각을 가지고 있었는지 알아야 해.

人

사람 인

칸트가 생각하는 '사람'은 이성적인 존재야.

다른 동물들과는 달리 사람들은 어떤 행동을 할 때, 자신의 행동이 도덕적으로 올바른가를 생각하기 때문에

옳지 않은 행동을 하면 마음이 불편해지고 불안해지지.

언젠가는 경찰에 체포될 거야.

자신의 감정과 충동을 못 이기고 행동할 때도 있지만

그런 경우에도 시간이 지나면 자신의 행동이 잘못됐다는 것을 깨닫게 되지.

용서하소서.

자신의 행동이 잘못됐다는 것을 처음부터 알면서도 거리낌없이 행동하는 사람은 드물어.

대다수의 사람은 도덕적으로 올바른 행동을 하려고 노력해.

이것이 곧 의지이고 실천 능력이야.

도덕적으로 행동하려는 의지는 감정에 흔들리는 법이 없어.

오로지 객관적인 법칙에 따라 움직이지.

이러한 주장을 증명하기 위해서 칸트가 쓴 책이 바로 《실천이성비판》이야.

칸트가 책에서 줄곧 주장한 것은 실천 이성이 인간이 지닌 최고 능력이라는 점이야.

실천 이성이 맨 위에 있지.

그럼 칸트가 책에서 무엇을 말하려고 했는지 간단히 살펴볼까?

행동과 실천의 원리

칸트는 사람의 행동과 실천을 중요하게 여겼어.

사람은 날마다 수많은 행동을 하면서 살아가고 있어.

그리고 자신의 행동이 올바른지 아닌지 생각하고 판단하지.

자신의 행동이 윤리적·도덕적으로 가치가 있다는 점을 알기 때문이야.

윤리와 도덕을 설명하기는 매우 어려워.

커피 향이 좋군.

그래서 내가 나서기 전까지 어느 학자도 시도하려고 하지 않았지.

후릅!

칸트는 다른 학자들이 불가능하다고 생각한 일에 도전했고

윤리 도덕

윤리와 도덕의 중요성을 체계적으로 정리하려고 했어.

그 노력의 결과가 《실천이성비판》이야.

실천에도 객관적인 원리가 있음을 보여 주려고 한 거야.

실천이성 비판

객관적 원리

어떤 행동을 할 때와 하지 않을 때에 적용되는 도덕적 근거를 밝혀 내려고 했어.

실천 이성이 도덕과 어떤 연관이 있는지 차근차근 알아보자.

실천이성 비판

도덕

윙

행동과 법칙의 원리

행동을 한다는 것은 무슨 뜻일까?

회사에 늦겠어!

행동은 곧 무엇인가를 실천하는 것이고,

그 실천의 바탕에는 의지가 있어.

의지란 어떠한 일을 하고자 하는 마음이야.

우리가 사는 세상은 자연법칙과 도덕 법칙으로 움직여.

자연법칙은 본능적인 욕구와 충동을 따르는 법칙이야.

반면 도덕 법칙은 의지에 따라서 행동하는 법칙이야.

칸트는 자연법칙보다 도덕 법칙을 중요하게 여겼어.

사람은 자신의 행동이 올바르다고 믿을 때 행동하려고 하는데

게 섰거라!

헉!

그 기준이 되는 것은 자연법칙이 아닌 도덕 법칙이야.

도둑질은 나빠!

그런데 사람들은 자신이 한 행동이 실제로 올바른 행동인지 정확하게 알지 못하기 때문에

시원하다.

소변 금지

크르르

도덕적인 행동을 하기 어려워하지.

그건 내게 맡겨 줘. 앞으로 내가 도덕 법칙이 무엇인지 확실히 가르쳐 주지.

담벼락에 쉬하지 마!

도덕 법칙은 과학이나 수학과 달리 검증하기가 어렵지만,

그냥 포기하고 말까?

칸트는 이런 까다로운 문제에 도전해

실천 이성 비판을 통해서 받아들일 수 있는 행동과 실천의 법칙을 철학적으로 풀어 보고자 했어.

실천 이성 비판

부웅~

자연법칙의 원리

법칙과 원리는 개인의 사정이나 조건에 따라 변하지 않아.

법칙   원리

항상 보편적이어야 하지.

법칙

그러므로 법칙과 원리는 어떠한 상황에서도 적용돼.

법칙·원리

과학 법칙이나 수학 공식이 우리 기분이나 감정에 따라서 변하지 않는 것처럼 말이야.

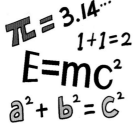

사람이 오로지 자연법칙에 따라 행동한다면 어떤 일이 일어날까?

그때그때의 감정 상태와 기분에 따라 행동이 달라지고

반가워.

기분 나빠. 저리 가.

선과 악을 구별하기 어려울 거야.

천둥은 악마야!

도덕 법칙의 의미

하지만 이성을 가진 사람은 자연법칙의 지배에서 벗어나

도덕 법칙에 따르려고 노력해.

자신의 의지에 따라서 행동하려는 거지.

이쪽으로 가겠어.

자신의 의지에 따라 행동하는 사람은 개인의 경험이나 감정 변화에 쉽게 영향을 받지 않아.

어떤 힘든 상황에 처하더라도 강한 의지가 있기 때문에

언제까지 휠체어에만 의지할 순 없지!

절뚝

이를 극복하고 일어설 수 있지.

새롭게 태어나자!

사람이 도덕 법칙에 따라 행동하는 것, 이것이 곧 '실천 이성'이고 의지야.

물론 의지가 있다고 해서 모든 일을 내 의지대로 할 수 있는 건 아니야.

지갑 이잖아?

주인을 찾아 줄까? 아니야 내가 갖자.

자신이 처한 환경 때문에 의지와 반대로 행동하는 경우도 많아.

집에 배고픈 아이들이 있어서…. 죄송합니다.

도둑이야!

법칙의 보편성

칸트의 도덕 법칙은 '보편적'인 법칙이야.

하나! 둘!

보편적인 법칙이란 누구에게나 적용되는 법칙을 말해.

하지만 살아가면서 보편적인 법칙을 찾기란 아주 어려워.

지구에 사는 수십 억 명의 사람들이 전부 만족할 수 있는 도덕 법칙을 찾는 일이 어찌 쉽겠어?

세상에는 다양한 종교와 문화를 가진 사람들이 살고 있어.

어떤 사람은 기독교, 어떤 사람은 불교, 또 어떤 사람은 힌두교를 믿어.

어떤 사람은 도시, 어떤 사람은 농촌, 어떤 사람은 사막에서 살아.

이렇게 다양한 사람들 모두 인정할 수 있는 도덕 법칙을 찾기란 거의 불가능한 일처럼 보이지.

내가 너무 어려운 문제에 도전했나?

그러나 칸트는 고집스럽게도 이 법칙을 찾을 수 있다고 생각했어.

도덕법칙

칸트는 어떤 행동이 도덕적인지를 따지기보다

이것은 악한 일이야!

난 관심 없어. 저리 가.

아니야! 선한 일이야!

사람들이 도덕적인 행동을 할 때 왜 그렇게 행동하는지 그 이유를 찾으려고 했어.

도덕적인 행동을 하는 이유를 알면 도덕 법칙이 보편적이라는 것을 증명할 수 있다고 생각해서야.

난 인간이 경험하거나 알기 전부터 존재하는 원리에 관심이 많아.

칸트가 찾으려고 한 원리는 사람들 행동의 전제가 되며 또한 도덕 법칙이기 때문에

왜 우리는 줄을 서야 할까?

BUS

개인의 경험을 판단 기준으로 삼아 선입견을 가져서는 안 돼.

도덕 법칙

사람은 오로지 도덕 법칙에 따라서 행동해야 해.

도덕적 의지

원리란 다른 말로 행동 방식의 틀이라고 할 수 있어.

이 틀은 하나하나의 행동이 옳은지 아닌지를 설명하지 않아.

우리는 이 틀 안에서

기분이 내키는 대로 행동하는 것이 옳지 않다는 점을 알게 돼.

우리는 틀 안에서 마음속에서 일어나는 자연적인 충동이나 감정을 억제하고 극복할 수 있어.

충동

충동

감정

순간적으로 내 이익을 위해서 친구에게 거짓말을 했다가도

저 사탕은 맛 없어. 먹지 마.

실은 내가 다 먹을 거야.

진짜?

곧 잘못된 생각이라고 깨닫고 반성하는 것처럼 말이야.

아니야. 나눠 먹자.

헤

우리 마음속에는 이미 착한 일을 하고자 하는 의지가 있단다.

사람은 누구나 이런 의지를 가지고 있기 때문에 마음대로 하고 싶은 욕구를 참고 극복할 수도 있는 거야.

나는 이런 의지를 '도덕적 의지'라고 부르지.

의무여! 숭고하고도 위대한 이름이여!

각각의 사람들이 마음속에 도덕적 의지를 가지고 있다고 해도

도덕적 의지가 보편적인 법칙이 되려면 객관적인 타당성이 있어야 해.

도덕적 의지에 객관적인 타당성을 부여하는 건 쉬운 일이 아니야.

이에 대해 칸트는 나름 해법을 찾았는데,

바로 '의무'라는 개념이야.

칸트는 왜 인간의 '의무'를 강조했을까?

사람에게서 의무를 빼 놓는다면 진정으로 인간답다고 할 수 없기 때문이야.

여기서 '의무'란 하고 싶지 않은 일을 다른 사람의 명령에 의해서 하는 것이 아니야.

칸트가 말하는 의무란 스스로 깨닫고 이성적으로 받아들이는 의지를 뜻해.

사람이 도덕적인 행동을 하는 이유도 개인의 이익이나 다른 목적을 위해서가 아니야. 그냥 사람의 당연한 의무이기 때문이지.

어떤 사람이 착한 행동을 한다면 그 자체로 가치가 있어.

그래서 도덕적인 행동은 다른 목적을 이루기 위한 수단이 되어서는 안 돼.

만일 다른 목적을 가지고 착한 일을 한다면 그것은 결코 착한 일이라고 할 수 없지.

그러므로 우리가 도덕적인 행동을 한다면

도덕적인 행동 그 자체가 목적이 되어야 해.

사람들이 추구하는 보편적인 목적이 의무가 되는 것이지.

내가 친구들에게 따돌림을 당할까 봐 친구들을 친절하게 대한다면 칸트는 당장 이렇게 말할 거야.

거부할 수 없는 명령

도덕 법칙은 우리가 어떻게 행동해야 하는가를 알려 주는 명령이야.

도덕 법칙

여기에서 '명령'은 다른 사람이 내리는 명령이 아니야.

내 이성이 나에게 내리는 명령이야.

이를테면 이성은 위험에 처한 사람이나 도움을 청하는 사람을 외면하면 안 된다고 나에게 명령을 내려.

물에 빠진 사람이 도와 달라고 외칠 때까지 기다렸다가 그제야 도움을 주는 사람은 없잖아?

살려 줘!

서둘러.

물에 빠진 사람을 보는 즉시 구하려는 행동은 스스로의 의지로 하는 일이지.

헉푹

반드시 구해야 해.

도움을 받은 사람이 나중에 나에게 감사함을 느낄 거라고 기대하고 도움을 주어서는 안 돼.

하나!

둘!

살려야 해.

현대의 윤리와 도덕의 모델이 된 《실천이성비판》

칸트의 《실천이성비판》이 나온 지 200년이 넘었지만, 이 책의 핵심 개념들은 과거 속 이야기가 아니야.

도덕의 법칙

윤리의 원리

칸트의 철학은 첨단 사회를 살아가는 현대인들에게 여전히 필요해.

현대 사회에서 사람들의 도덕성과 윤리 의식은 점점 사라지고 있고

마땅히 지켜야 할 의무도 외면하는 사람이 많지.

그럴수록 우리는 칸트의 가르침에 다시 귀 기울여야 해.

도덕은 사람이라면 무조건 따라야 하는 명령이니까.

《실천이성비판》이 현대를 사는 우리에게 꼭 필요한 이유지.

실천 이성을 생활 속에서 실천한 칸트

칸트는 우리 사회에 널리 퍼진 회의주의, 독단주의, 상대주의를 강하게 비판했어.

그리고 사람은 조건이나 이익을 따지지 말고, 순수한 마음으로 도덕적인 행동을 해야 한다고 주장했어.

도덕적 행동은 주관적으로 판단하거나 제멋대로 결정해 내리는 행동이 아니기 때문에

로시난테, 저 거인을 쓰러뜨리자.

거인이 아니라 풍차라니까요.

생활 양식이나 문화가 다르다는 이유로 도덕적인 행동을 주저하는 것은 절대 용납하지 않아.

맞아. 맞아.

도덕을 지키는 것은 우리 자신의 이성이 우리에게 내리는 명령이기 때문이야.

칸트는 도덕적 행동을 몸소 실천하려고 노력했어.

내 일상생활이 도덕 법칙 그 자체야!

와~

그는 철저하게 규칙적인 생활을 했어.

기분이 안 좋다고 할 일을 미루거나 빈둥거린 적이 한 번도 없단다.

삶 자체로 자신의 철학을 보여 준 셈이지.

《실천이성비판》에서 말하는 도덕 법칙을 지키며 멋지게 사는 인생이란 무엇일지, 이제부터 하나씩 알아보자.

도덕 법칙

2장
칸트는 어떤 사람인가?

칸트는 세계 3대 철학자 중의 한 사람으로 꼽혀.

좀 뿍스럽네.

이마누엘 칸트
(Immanuel Kant,
1724~1804)

칸트는 1724년 4월 22일에 11남매 중 넷째로 태어났어.

흑
흑

일찍 세상을 떠난 형제가 많아.

그의 국적은 독일이지만 실제로 태어난 곳은 독일에서 좀 떨어진 프로이센의 쾨니히스베르크야.

발트해

쾨니히스베르크

베를린

프로이센

성실한 기독교 신자였던 칸트는

비록 집안이 가난했지만 이에 불평하지 않고 검소하게 살았어.

일용할 양식을 주셔서 감사합니다.

아버지 요한 게오르크 칸트는 가죽으로 마구를 재단해서 파는 일을 했어.

튼튼하고 편한 안장입니다.

칸트는 늘 가족을 위해서 열심히 일하는 아버지를 존경했어.

멋져요, 아빠

이번 가죽은 질이 좋군.

어머니 안나 레기나 도로테아 로이터는 학교에서 정식으로 교육을 받은 적은 없지만 똑똑하고 인품이 훌륭했어.

이 책에선 말이야…

어머니는 어린 칸트와 들을 함께 거닐며 꽃과 풀들의 이름을 가르쳐 주었고, 밤에는 별자리 이름을 알려 주곤 했어.

밤하늘에 빛나는 저 별이 북극성이야.

와아, 예쁘다.

칸트는 부모님의 사랑을 듬뿍 받으며 자랐고

부모님에게서 물려받은 삶의 자세를 평생 유지하려고 노력했지.

8세에 학교에 입학한 칸트는

특히 라틴어와 고전 문학에 몰두했어.

덕분에 평생 라틴어 고전을 즐겨 읽는 습관을 가지게 되었어.

또한 당시 지나치게 엄겼했던 교회 분위기를 싫어해서

부모님을 따라 다녔던 어린 시절 이후에는 교회를 나가지 않았어.

무서워 …

국왕인 빌헬름 2세가 쾨니히스베르크 시를 방문해 특별 예배를 열었을 때에도 참석하지 않았지.

다들 예배 들으러 갔군.

1740년 칸트는 쾨니히스베르크 대학에 입학했어.

Königs berg

그는 대학에서 다양한 학문을 열심히 파고 들었는데

그중에서도 특히 수학과 물리학에 흥미를 느껴서 뉴턴이 쓴 책을 자주 읽었어.

아이작 뉴턴
(Isaac Newton, 1642~1727)

$1N = 1kg \times \frac{m}{s}$

하지만 신학에는 별로 흥미를 느끼지 못했지.

신학 강의에는 딱 한 번 참석했어.

그마저도 신학을 강의하는 교수가 칸트의 지도 교수라 예의상 마지못해 참석했던 거야.

반면 자연과학은 그에게 큰 호기심의 대상이었지.

사람의 지식은 어떻게 생기는 것일까? 궁금하다, 궁금해.

칸트는 대학을 졸업한 후 계속 학자의 길을 가기를 원했어.

하지만 가정 형편이 아주 어려워지면서 학업을 도중에 멈출 수밖에 없었어.

어머니는 그가 입학하기 전에 세상을 떠났고,

흑흑….

그가 대학을 졸업하던 해에 아버지도 세상을 떠나는 바람에 칸트 스스로 생활비와 학자금을 마련해야 했기 때문이야.

게다가 집에는 칸트가 돌봐야 하는 동생이 다섯이나 있었어.

어린 막내 동생은 이웃이 돌봐 주었지만,

다른 동생들은 청소 일을 하면서 어려운 생활을 하고 있었지.

칸트는 근교 마을에서 약 9년 동안 가정교사 일을 하며

어때? 이제 이해가 되지?

네~

돈을 모으는 족족 동생들에게 보냈어.

생활비

그렇다고 학자가 되겠다는 꿈을 포기한 건 결코 아니야.

그의 철학이 사람들에게 인정을 받기까지 오랜 시간이 걸렸지만 말이야.

삐걱 삐걱 철학

그가 쓴 졸업 논문은

3년 후에 책으로 출간되었지만

활력의 참된 측정에 관한 이론

그다지 학자들의 관심을 끌지 못했지.

폐지 삽니다!

소중한 내 책이…

심지어 그를 조롱하는 사람도 있었어.

칸트는 힘든 일을 하고자 하네. 온 세상을 가르치려고 하네.

고트홀트 에프하임 레싱 (Gotthold Ephraim Lessing, 1729~1781)

칸트는 31세가 되던 해에 박사 학위를 받았어.

드디어 해냈어!

대학에 입학한 나이를 생각하면 매우 늦게 박사 학위를 받은 셈이지.

박사 학위

이 무렵 칸트는 친구의 도움으로 대학에서 강사 자리를 얻어서 강의를 시작했어.

강사 생활은 이후 무려 15년 동안이나 계속되었어.

다음 강의는 2시궁.

정식 교수로 초빙되지 못한 상태에서

개인 강사

※ 개인 강사는 오늘날의 시간 강사와 같음.

학생들에게 강의하는 생활이 이어진 거야.

정식 교수가 되긴 정말 힘들어.

수입이라고는 학생들로부터 받은 수업료가 전부였지.

휴….

칸트가 처음 대학에서 강의를 시작했을 때 그의 발음은 부정확했고,

œŸ★♡Ò

무슨 말인지 모르겠어.

목소리는 너무나 작아서 학생들에게 잘 들리지 않았어.

더 크게!

그럼에도 불구하고 그의 강의를 듣고자 하는 학생들은 많았어.

밑줄 쫙!

칸트의 강의가 다른 교수의 강의에 비해 수준이 높았기 때문이야.

그의 강의는 철학은 물론이고 과학에 대한 조예가 깊었고

수학, 물리학, 논리학, 형이상학까지 아주 폭넓은 분야를 다루었지.

골고루 먹자.

수학

물리학

논리학

형이상학

그는 강의를 하면서 부지런히 집필 작업을 해 여러 권의 책도 출간했어.

칸트가 평생 엄격하고 규칙적인 생활을 한 건 유명하지?

그는 여행이라고는 거의 한 적이 없어서

그가 가장 멀리 간 곳이 자신이 가정교사를 하던 장교의 집이었다고 해.

안녕하세요? 대령님.

하하, 칼출근 하셨네요.

경제적인 여유가 없었던 이유도 있지만 세상을 보고 경험하는 데에는 별로 관심을 두지 않았기 때문이야.

집이 최고야!

대신 엄청난 독서량으로

다양한 영역을 접해 세상에 대해서 아는 것이 정말 많았어.

그의 강의가 학생들에게 큰 인기를 얻을 수 있었던 이유도 책을 통해 얻은 예를 강의 시간에 적절하게 사용했기 때문이었지.

칸트는 자신이 태어난 쾨니히스베르크 대학의 교수가 되기를 원했어.

하지만 쉬운 일이 아니었어.

그러나 쾨니히스베르크 대학은 칸트의 교수 임용을 두 번이나 거부했어.

쾨니히스베르크 대학

칸트는 다른 대학에서 교수 초빙을 받았지만 모두 거절했어.

고맙지만 사양할게.

심지어 독일 최고의 대학인 베를린 대학에서는 국왕의 호의로 많은 특권을 제시하면서 시학을 강의해 달라고 요청했지만 그는 이것 역시 거절했어.

전 일편단심 입니다.

시학이 자신의 전공이 아니기도 했지만, 무엇보다도 고향을 떠날 마음이 없었기 때문이야.

칸트는 한적하고 평화로운 고향에서 자신의 철학을 발전시키고 싶은 마음뿐이었거든.

그는 도서관에서 일하면서 교수가 되어서 학생들을 가르칠 날을 손꼽아 기다렸단다.

언젠가는 강단에 설 날이 오겠지?

1770년, 마침내 칸트의 꿈이 이루어졌어.

그토록 바라던 쾨니히스베르크 대학의 철학 교수가 된 거야.

내 나이 46세에 정교수가 되다니….

다른 사람에 비해 늦은 나이에 교수로 임용되었지만 그는 한눈팔지 않고 묵묵하게 학자의 길을 걸었어.

학자의 길

다른 걱정 없이 오직 학문 연구에만 매달릴 수 있게 된 칸트는

정교수가 된 이후 10년이 넘게 어떤 글도 발표하지 않은 채

긴 시간 동안 인간에 대하여 집중적으로 연구했단다.

마침내 그 연구 결과물을 책으로 출간했는데

철학사에서 가장 위대한 저술이라고 평가받는 책들이 잇달아 나온 때가 이 시기야.

그중 가장 대표적인 책이 바로 《순수이성비판》이야.

순수이성비판

아무 일도 하지 않는다고 사람들이 비아냥거려도 개의치 않고 스스로 만족할 때까지 연구하다가 비로소 세상에 자신의 철학을 공개한 책이지.

이제 자신 있어!

《순수이성비판》은 철학사에서 가장 중요한 책 중의 하나로 꼽혀.

인간이 어떤 과정을 통해 인식하는지 밝히려고 나만큼 노력한 사람도 없을 거야.

《순수이성비판》을 출간한 후 또 다시 7년을 연구한 끝에 나온 책이

《실천이성비판》이야.

칸트는 이 책을 통해서 사람이 왜 선한 행동을 해야 하고,

왜 거짓말을 해서는 안 되는지 그 근거를 찾으려고 노력했단다.

'사람은 왜 선하게 행동해야 하는가?'에 대해서 모든 사람이 인정할 수 있는 근본 법칙을 찾는 문제는

선 = a x % # 일까?

앞으로 이 책에서 다룰 핵심 주제이기도 하지.

기대하라! 개봉 박두!

그로부터 2년 뒤에 출간한 책 《판단력비판》에서 칸트는 자신의 사상을 더 발전시켰고

사람들이 아름다움을 느끼는 원리가 무엇인지 찾아내려고 했어.

사람들은 10여 년에 걸쳐 나온 《순수이성비판》, 《실천이성비판》, 《판단력비판》을 비판의 3부작이라고 부르며 아주 높이 평가하고 있어.

인간에 대해 비판적으로 접근해 철학의 새로운 방향을 보여 준 칸트는 독일뿐만 아니라 유럽 전체에 그 이름을 떨칠 정도로 유명해졌어.

많은 젊은이들이 그의 강의를 듣기 위해서 쾨니히스베르크 대학으로 모여들었지.

칸트의 명성은 점점 높아졌고 덕분에 그는 두 번이나 쾨니히스베르크 대학 총장을 지냈어.

칸트는 대학 총장이 된 후에도 자신의 신념을 굽히거나 쉽게 세상과 타협하지 않았어.

그러다가 국왕을 노엽게 하는 바람에

종교에 관련된 강의나 저술 활동이 금지되었고

심지어 교수직까지 박탈당할 위기에 처했지.

불행 중 다행으로 그를 미워했던 국왕이 세상을 떠나면서 교수직에서 쫓겨나는 일은 일어나지 않았어.

그 후 칸트는 학문을 연구하며

매우 엄격하고 규칙적으로 생활했지.

칸트는 시간 관념이 매우 철저해서

수십 년 동안 정해진 계획표대로 생활했어.

정시엔 독서!

어쩔 수 없이 생활 계획표를 지키지 못하거나 변경해야 할 일이 생기면 짜증을 낼 정도였지.

비가 와서 산책 시간에 2분이나 늦었어.

그의 생활이 얼마나 엄격하고 규칙적 이었는지 살펴볼까?

짜재칵 째깍

칸트는 매일 5시에 정확하게 일어났어.

일어날 시간입니다.

그리고 홍차 두 잔을 마신 후 잠옷을 입은 채로 연구를 시작해서

오전에는 강의를 하거나 글을 쓰면서 시간을 보냈어.

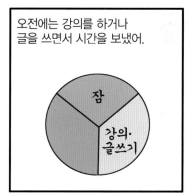

잠

강의·글쓰기

하루 중에서 가장 활발한 시간은 점심 시간이야.

이제 신나게 즐겨 볼까?

칸트는 점심 식사에 손님을 자주 초대했는데,

어서 오게, 친구. 혼자 밥 먹긴 정말 싫었는데….

손님과 유쾌한 기분으로 농담이 섞인 대화를 하면서 즐거운 시간을 보냈어.

가장 억울한 도형은?

원통형.

아재 개그

요리 솜씨 또한 전문가 수준이어서

1급 호텔 요리 맛을 보여 주지.

직접 요리를 해서 손님을 접대하는 일이 종종 있었어.

맛이 어때요?

후, 훌륭해요.

근엄한 철학자가 전문가 수준의 요리 솜씨를 자랑하는 모습을 상상해 봐.

칸트 셰프라고 불러 줘.

칸트는 특히 겨자 소스를 곁들인 요리를 만들어 자주 손님에게 접대했는데,

그럴 때 자신은 요리를 먹지 않고 손님을 지켜보았어.

왜 안 드십니까? 이렇게 맛있는데요.

보는 것만으로도 배부르네요.

칸트는 '혼자 식사를 하는 것은 불행한 일'이라고 하면서

그 말이 맞아요. 흑.

어떤 사람과 무슨 요일에 점심 식사를 할 것인지 계획을 세웠고,

일	월	화	수	목	금	토

3명에서 많게는 9명까지 사람들을 초대해서 점심 식사를 함께했어.

음식이 매우 훌륭합니다.

과찬이십니다.

칸트는 평생 맥주의 본고장인 독일에서 살았지만 맥주는 입에 대지 않았어.

난 와인이 좋아.

하지만 칸트의 일화 중 가장 유명한 이야기는 산책 시간을 엄격하게 지킨 거야.

그는 언제나 오후 4시에 '철학자의 산책로'라고 불리는 길을 산책했어.

그 시간이 어찌나 정확했는지 동네 사람들은 칸트를 보며 시계를 4시에 맞추곤 했어.

우리 시계가 2분 느리네.

칸트가 평생을 통틀어 산책 시간을 지키지 못한 적이 딱 한 번 있었는데, 루소가 쓴 《에밀》이라는 책을 읽었을 때야.

이런. 산책 시간에 5분이나 늦었어.

어떤 사람은 한 번 더 있다고 말하기도 하는데,

두 번!

말도 안 돼. 내가 언제?

프랑스 혁명 소식이 실린 신문을 읽다가 늦었다고도 해.

저녁 시간이면 그는 주로 여행기 같은 가벼운 책을 읽었어.

칸트는 고향을 떠나 본 적이 없었지만 여행기를 읽으면서 세상 돌아가는 일을 실제로 다녀 온 사람처럼 잘 파악했다고 해.

여행기를 통해 얻은 세상 소식은 강의 시간에 알맞게 활용했어.

아메리카 인디언들은 이렇게 사냥했지.

그는 저녁 10시에 정확하게 잠자리에 들었어.

칸트의 엄격하고 규칙적인 생활은 보통 사람들이 보기에는 매우 지루하고 답답하게 보일지 몰라. 하지만 칸트 자신은 이러한 생활에 매우 만족했지.

그의 생활을 뭐라고 하는 가족도 없었어.

칸트는 평생 독신으로 지내면서

결혼을 하지 않고 평생 하인 한 사람과 살았지.

벌써 봄이 완연해.

칸트가 결혼에 관심이 없었던 것은 아니야.

두 번 정도 결혼을 결심했지만

지나치게 신중하게 생각한 나머지 그만 결혼할 기회를 놓치고 말았지.

안녕!

흐흑.

칸트의 결혼과 관련된 재밌는 일화가 있어.

어느 날 칸트는 사귀던 여성으로부터 청혼을 받았어.

신중한 성격의 칸트는 사랑과 결혼에 대해서 알아보고 결정하기 위해서 다양한 책과 자료를 살펴봤어.

결혼하는 게 좋을까 나쁠까?

공부와 연구애.

그 결과, 칸트는 결혼하는 것이 결혼하지 않고 사는 것보다 장점이 약간 더 있다는 것을 알게 되었어.

드디어 칸트는 그 여성과 결혼을 하기로 결심했지.

우리 결혼합시다!

문제는 사랑과 결혼에 대해 자료를 조사한 기간이 너무 길었다는 거야.

결혼은 진짜 인생의 무덤일까?

무려 몇 년이나 걸리는 바람에

아니야.

혼자보단 둘이 외롭지 않겠지

칸트에게 청혼을 했던 여성은 기다리다 지쳐서 이미 다른 남자와 결혼을 한 뒤였지.

이럴 수가….

바보 아냐?

믿기 좀 어려운 이야기이지만 칸트의 성격을 아는 사람이라면 충분히 그럴 만하다고 고개를 끄덕일 거야.

슬프다.

실연이란 무엇일까?

이번 연구 주제는 실연이다!

칸트는 죽을 때까지 혼자서 살았는데

자신의 독신 생활을 불만스러워하거나 힘들어하지는 않았다고 해.

오늘도 열심히!

그래서 사람들은 칸트를 '안락한 독신자'라고 부르기도 하지.

그는 결혼 제도에 관심이 많아서

이웃들에게 바람직한 결혼에 필요한 점을 이야기해 주었어.

외모를 보고 충동적으로 상대를 고르지 말고,

환상의 커플 탄생!

이성적인 판단에 따라서 상대를 선택해야 한다고 충고했지.

결혼

만남

결별

또한 돈의 중요성을 자주 강조했어.

그는 돈이 부부의 행복을 지켜 준다고 생각했어.

돈이 아내의 미모보다 더 중요해.

너무해,

경제적 여유가 없다면 부부의 행복도 없고,

우리 헤어져.

서로 감사하는 마음도 생길 수 없다고 생각한 것 같아.

결혼과 경제적인 활동에 대해서는 매우 현실적인 시각을 가지고 있었던 거야.

결혼

₩

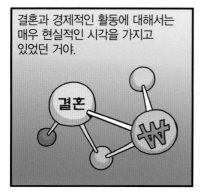

이처럼 결혼이나 돈에 대한 가치관이 냉정한 이유는

칸트 철학

감정보다 이성을 더 중요하게 여기는 철학자였기 때문이야.

따라서 현실적인 문제를 다룰 때는 낭만적인 감정보다 합리적인 이성으로 판단해야 한다고 생각했지.

칸트는 72세에 강의를 그만두고 은퇴했어.

나이가 들어 시력과 기억력이 약해졌고, 예전처럼 왕성한 활동을 하지는 못했지만 철학 연구에 대한 열정은 변함이 없었어.

그러나 나이가 들면서 실질적인 연구 시간이 줄어들었고

쓸쓸한 노년을 보낼 수밖에 없었어.

30킬로미터 이상 고향 밖으로 나가 본 적이 없던 칸트는

저 너머에는 무슨 일들이 벌어지고 있을까?

1804년, 80세가 되던 해에 세상을 떠났어.

죽어서야 비로소 고향을 떠나는구나.

칸트가 남긴 마지막 말은
에스 이스트 구트(Es ist gut!)였다고 해.

우리나라 말로 번역하면
'좋군!'이란 뜻이지.

사람들로부터 대단한 존경을 받았던 칸트가
세상을 떠나자

도시 전체가 일을 멈추었고

잘 가세요.

휴무

모든 교회에서 일제히 종을 울렸으며, 수천 명이 장례 행렬을 따랐어.

흑흑.

우리 시대 위대한 철학자!

시계는
어떻게 맞추지?

칸트의 묘비에는 《실천이성비판》의 마지막 구절을 새겼어.

생각하면 생각할수록
점점 더 커지는 놀라움과
두려움에 휩싸이게 하는 두 가지가 있다.
별이 빛나는 하늘과
내 마음속의 도덕 법칙이 그것이다.

3장

순수 이성과 실천 이성, 그리고 선의지

칸트의 실천 이성 비판이 다른 철학과 구분되는 가장 큰 특징은

인간의 이성을 순수 이성과 실천 이성으로 나눠서

설명하려고 했다는 점이야.

순수 이성과 실천 이성은 무엇이 다를까? 그 차이를 이해하려면 이론과 실천의 관계부터 알아야 해.

이론은 '어떤 것이 어떠하다.'는 사실을 아는 것이고

천둥이 치는 걸 보니 곧 비가 오겠군.

실천은 '어떤 일을 당연히 그렇게 해야 한다.'는 의미야.

이론에는 행동이 따르지 않지만 실천은 행동을 전제로 하지.

철학은 이론과 실천으로 나누어 생각해야 돼.

철학의 저수지 《순수이성비판》

칸트의 제1비판서로 불리는 《순수이성비판》은 칸트가 쓴 책 중에서도 가장 중요한 위치에 있어.

서양 철학사에서 커다란 '저수지'와 같은 역할을 하면서

이전의 서양 철학을 종합하고 체계화했기 때문이야.

서양 역사에서 로마가 그 이전의 역사를 통합하고 로마 이후의 역사에도 큰 영향을 끼친 것처럼

칸트 이전의 모든 철학이 《순수이성비판》에 의해서 모아지고,

칸트 이후의 철학이 《순수이성비판》으로부터 다시 시작했다고 할 수 있지.

칸트가 활동할 당시 서양 철학에는 두 가지의 흐름이 있었어.

그중 하나는 영국에서 발달한 경험주의야.
대표적인 철학자로는 베이컨, 홉스, 로크가 있지.

경험주의는 모든 인식을 경험으로 설명하려는 이론으로

원시인
살려.

이들은 '인간이 아는 모든 것은 감각과
경험에 의해서다.'라고 주장하지.

호랑이는
위험하니까
호랑이를 보면
무조건 도망쳐.

다른 하나는 유럽 대륙에서 발달한 합리론이야. 대표적인 철학자로는
데카르트, 라이프니츠, 스피노자 등이 있지.

합리론은 '인간의 모든 인식은 이성에
바탕을 둔다.'고 주장했어.

칸트는 이 두 가지 입장을 하나로 통합해

감성과 지성, 경험과 이성을
종합하는 철학을 세웠어.

《순수이성비판》과 선험적 종합 판단

철학에서 '순수'란 경험하지 않은 것을 말해.

'순수 이성'은 경험에 의지하지 않는 자립적이고
자발적인 성질이 있지.

우리가 어떤 것을 안다고 해보자. 과거에 경험하지 않아도 순수하게 알게 되는 것이 있잖아?

까꿍! 예쁜 우리 조카.

순수 이성에 의한 인식은 경험해서 아는 것과 달리 필연적이고 보편적이야.

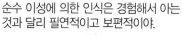

순수 인식

그래서 개인의 생각이나 느낌, 환경 등의 영향을 받지 않지.

인간은 순수 이성에 의한 바탕으로 더 넓은 인식의 세계로 나아갈 수 있어.

그리고 더 넓은 인식의 세계로 나아가기 위해서는 판단 기준이 필요한데, 칸트는 이것을 선험적 종합 판단이라고 했어.

더 넓게 보고 넓게 생각하자!

선험적 종합 판단

선험적 종합 판단은 우리가 어떤 경험을 하든 상관없이 경험에 앞서서 하는 판단을 말해.

선험적 종합 판단

경험

선험적 종합 판단은 이성을 요구하는 모든 학문에서 매우 중요한 원리야.

칸트는 인간은 자신이 경험하지 않아도 선험적 종합 판단을 통해 수학이나 자연 과학을 이해할 수 있으며

순수 이성 비판은 이런 선험적 종합 판단이 잘 이뤄지도록 만드는 데 목적이 있다고 강조했지.

선험적 종합 판단

순수 이성 비판

칸트가 순수 이성 비판을 강조한 이유는 다른 철학자들의 이론이나 체계를 비판하기 위해서가 아니야.

다만 지금까지와는 다른 새로운 방식으로 생각해 보자는 거지.

이를 빗대어 칸트는 자신의 사고 방식을 '코페르니쿠스적 전환'이라고 부르기도 했지.

지동설이 처음 발표되었을 때처럼 새롭다는 뜻이야.

그런데 칸트는 왜 '순수 이성' 뒤에 '비판'이라는 단어를 썼을까?

순수 이성 비 판

칸트 이전의 철학자들이 의심하지 않았던

이성 자체를 비판했기 때문이야.

이성

이성 자체를 비판해 이성의 한계와 그 능력을 제대로 안다면

이성의 한계   이성 능력

인간이 경험에 영향을 받지 않고 어디까지 인식할 수 있는지를 알 수 있다고 생각한 거야.

인간 스스로 자신의 인식 능력을 비판하고, 스스로 반성함으로써 말이야.

자, 이제 껍질을 깨 보자.

좀 더 잘할 수 있잖아!

♫

만약 인간에게 순수 이성 비판 능력이 없다면 어떻게 될까?

왜 자꾸 살이 찌지?

아마 사물을 정확하게 지각할 수 없을 거야.

사물을 '지각한다'는 것은 사물 그 자체를 안다는 뜻이 아니야.

인간의 인식으로는 사물 자체를 알 수 없어.

다만 그 현상들을 아는 것뿐이지.

예를 들어 '사과'나 '장미꽃'이 있다고 하자.

우리가 사과나 장미꽃을 아는 것은 눈으로 보고 사과 모양을 알거나 코로 냄새를 맡아 장미 향기를 알 뿐이야.

사과
장미

날 모양으로만 평가하지 마.

장미 향이 난다고 해서 네가 내 전부를 아는 건 아니야.

즉 공간과 시간을 통해서 주어지는 정보들을

눈으로 보거나, 코로 냄새를 맡아 우리의 지성이 판단하는 대로 인식할 뿐이야.

지성
인식

어떤 종류의 붕어빵 틀을 사용하느냐에 따라서 붕어빵의 모양이나 크기가 달라지듯이

우리는 각자가 가진 인식의 범주 안에서 사물을 인식해.

이러한 인간의 경험과 인식을 종합하는 것이 《순수이성비판》의 핵심이야.

사물을 제대로 인식하기 위해서는 직관과 사유, 감성과 지성이 종합적으로 작용해야 하거든.

이를 칸트는 '모든 인식은 경험과 더불어 시작한다. 그렇다고 해서 경험으로부터만 인식이 생기는 것은 아니다.'라고 표현했지.

우리가 무엇인가를 인식하기 위해서는 경험하는 것이 중요하지만

물고기를 어떻게 잡아?

경험의 의미를 알기 위해서는 경험에 흔들리지 않는 무엇이 필요해. 이것을 칸트는 '순수 이성'이라고 본 거야.

지금까지의 이야기를 종합해 보면 칸트는 경험을 무조건 믿지도 않았고

경험이 최고!

경험을 무시하고 이성과 정신만 고집하지 않았다는 것을 알 수 있겠지?

이성이 최고!

《실천이성비판》을 제2의 비판서라고 하는 까닭

칸트가 제1의 비판서인 《순수이성비판》에서 이성 자체를 비판했다면

제2의 비판서인 《실천이성비판》에서는 사람의 실천 이성 능력을 비판했어.

실천 이성에 대한 비판은 도덕적 실천에 대한 비판이라고 할 수 있어.

《실천이성비판》은 그의 윤리학 저서인 《도덕 형이상학의 정초》에 나온 도덕 원리를 한 단계 발전시킨 책이지.

《실천이성비판》에서 가장 중요한 것은 '정언 명령'이야.

정언 명법 이라고도 불러.

정언 명령은 사람이 사람다움을 지키기 위해서

실천 이성이 자기 자신에게 내리는 최고의 명령이야.

정언 명령에 따르기 위해서는 자유와 *예지가 아주 중요해.

칸트는 자유와 예지를 바탕으로 실천 이성의 원리들을 완벽하게 제시하려고 노력했어.

* 사물의 이치를 꿰뚫어 보는 지혜롭고 밝은 마음.

그중에서도 칸트가 특히 중요하게 생각한 것은 '의지'였어.

의지는 감성이나 경험에 흔들리지 않는

최고의 도덕 원리라고 할 수 있지.

도덕의 근본 법칙

인간은 이성적인 존재야. 하지만 감각의 영향을 받기 때문에 의지가 쉽게 흔들리곤 하지.

우리가 모든 일에 항상 이성적으로 행동하지는 않잖아?

각자가 주관적으로 판단해 행동하는 경우도 많아.

아무도 안 보는군.

칸트는 인간이 인간다우려면 행동에 어떤 원칙이 있어야 하고,

정의는 이긴다.

행동이 원칙과 일치하게끔 만드는 명령이 있어야 한다고 생각했어.

악의 무리, 물러가라!

그리고 명령은 이성에 의해 움직여야 하며 스스로 내리는 것이라고 생각했지.

각자의 경험이나 환경에 따라서 쾌감과 불쾌감을 느끼는 감정은 보편적이지 않다고 생각한 거야.

우~ 우~

울고 싶다.

경험이나 주변 환경 등이 바뀌면 각자의 생각이나 행동이 달라지기 때문이야.

난 커서 수의사가 될 거야

그래서 칸트는 순수 실천 이성의 근본 법칙을 세우려고 많은 노력을 기울였어.

정언 명령은 누가 시켜서 만든 법이 아니야.

인간의 이성이 스스로 세운 법이야.

법을 만든 인간의 이성이 자유 의지에 따라서

스스로 세운 도덕 법칙을 따르라고 강조하지.

자기 자신을 들여다볼 줄 아는 이성이 있고

내면으로부터 들리는 이성의 목소리에 귀 기울일 수 있다면, 누구나 도덕 법칙을 지킬 수 있어.

선과 악

선악은 인간이 도덕 법칙에 따라서 어떤 일을 하려고 할 때 생기는 매우 중요한 문제야.

좀 더 정확하게 말하자면, 선악은 '무슨' 행동을 할 것인가의 문제가 아니라

'어떻게' 행동할 것인가의 문제라고 할 수 있어.

사람은 저마다 다양한 욕구를 가지고 있어.

하지만 인간의 실천 이성은 자유 의지에 따라 행동해.

어떤 행동이 선한지 또는 악한지 판단하기 위해서는 기준이 있어야 해.

우리가 어떤 행동을 할 때 아무 생각 없이 하는 경우는 없어.

자신이 하려는 행동이 보편적인 법칙에 맞는지, 맞지 않는지 먼저 자기에게 묻지.

사람들이 즐거워 할 것인가?

사람들이 싫어할 것인가?

자신의 행동이 보편적이고 자연법칙에 어긋나지 않는다면 선이라고 할 수 있고

하하, 재미있네.

스트레스가 풀리는군!

그 반대라면 악이라고 할 수 있어.

시끄러워.

저리 가!

그러므로 자신의 행위가 선악을 기준으로 했을 때 어느 쪽인가를 깊이 생각해 봐야 해.

도덕 법칙에 대한 존경심

도덕 법칙만 강조하면 개인의 다양성을 가로막아 개인에게 큰 고통을 줄 수 있어.

도덕 법칙의 명령이 너무 엄격하면 대다수의 사람들이 마음에 심한 상처를 받기 때문이야.

그러나 도덕 법칙에는 높은 권위가 있어서 도덕 법칙을 따르는 사람들은 기분이 좋아지고

도덕 법칙을 우러러 보게 되지.

도덕 법칙을 준수하는 것이 인간의 의무라고 생각하면 도덕 법칙에 대해 더욱 경건한 마음이 들 거야.

우리는 이성이 이끄는 대로 법칙을 세우는 동시에 이성이 내린 명령에 복종해야 돼.

이러한 복종은 도덕 법칙을 존경하는 마음에서 저절로 우러나오는 거야.

그러니 도덕 법칙에 따르는 의무를 알고 스스로 행동하는 인간은 존엄한 존재이며

이에 복종하는 인간이야말로 이성적 존재라고 할 수 있어.

이성에 따르겠나이다!

최고선의 문제

인간은 도덕 법칙에 따르는 것으로 만족하지 않아.

인간은 동시에 행복하기를 원해.

도덕과 행복이 하나로 결합했을 때

우리는 이를 최고선에 이르렀다고 말해.

그런데 여기서 실천 이성에 모순이 생겨.

도덕을 실천한다고 항상 행복해지는 것은 아니기 때문이지.

으앙, 도깨비야. 무서워!

선물인데….

도덕이 없는 행복은 공허하고, 행복이 없는 도덕은 만족스럽지 않아.

칸트는 도덕을 완성하기 위해서 영혼 불멸의 존재를 내세웠는데

그게 바로 신이야.

인간은 신이 있다고 생각하고 도덕 법칙을 충실히 수행할 때 최고선을 실현할 수 있다고 생각한 거야.

이러한 칸트의 생각을 가장 잘 표현한 말이 있어.

내 위의 별이 빛나는 하늘과 내 안의 도덕 법칙이 경탄과 외경으로 마음을 채운다.

자연의 질서는 도덕의 질서와 같이 작동한다는 것을 비유해서 표현한 말이야.

실천 이성은 왜 순수 이성보다 더 우위에 있는가?

칸트는 실천 이성이 순수 이성보다 한 수 위라고 말했어.

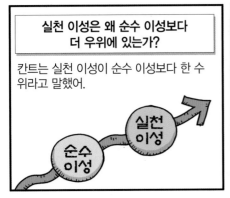

사람들은 순수 이성보다 실천 이성에 더 관심이 많다고 보았지.

여기에서 관심은 마음이 움직이도록 자극을 주는 원리를 의미해.

순수 이성에 대한 최고의 관심은 사물을 인식하는 것이지만,

실천 이성에 대한 최고의 관심은 최고선에 도달하기 위해 자유 의지를 실천하는 것이지.

또한 사변 이성과 실천 이성이 결합하면 실천 이성이 우위를 차지하게 돼.

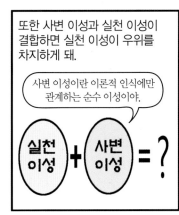

사변 이성이란 이론적 인식에만 관계하는 순수 이성이야.

실천 이성 + 사변 이성 = ?

인간이 관심을 가지는 모든 것은 결국 실천으로 나타나며

장애물을 넘자!

사변 이성도 실천해야 비로소 완전해지기 때문이야.

사변 이성

내가 생각한 눈사람 완성!

선의지(善意志)

이성적 존재인 인간에게는 의지가 있어.

의지란 인간이 자신의 욕망을 실현하려는 능력으로,

인간이 의지를 갖는 것은 매우 자연스럽고 당연한 일이야.

맘마.

인간은 다양한 감성적 자극을 이용해 자신의 의지를 관철시키며 살아가고 있어.

하지만 인간에게 항상 선의지만 있는 것은 아니야.

적을 죽여야 내가 산다.

여기서 선의지란 인간이 선하게 살고자 하는 의지로,

양심에 따라 생각하고

모르는 척하고 가질까?

아니야. 주인에게 돌려 줘야지.

행동하려는 능력을 말해.

저기, 지갑 흘리셨어요.

어? 고마워요.

어떤 일을 하려는 의지가 강해도

추월하자!

양심을 외면하거나 소홀하게 취급한다면 그것은 선의지라고 할 수 없어.

까아악! 위험해!

그만큼 선의지와 양심은 서로 밀접한 관계에 있지.

칸트는 자신의 생각을 다음과 같이 정리했어.

우리 내면에는 법정이 있어서 이 법정 앞에서 자신이 자유 의지에 따라 했던 모든 일에 대해 판결을 받는다.

양심은 우리 내면에서 두 가지 역할을 해.

하나는 판결을 기다리는 역할이고, 다른 하나는 판결을 내리는 역할이야.

양심이 있기에 이성을 가진 사람은 도덕 법칙에 따라 움직일 수 있지.

양심

도덕 법칙

칸트는 선의지를 매우 중요하게 생각했기 때문에

선의지

사람은 오로지 그것이 옳다는 이유만으로 옳은 행동을 한다고 주장했어.

행동의 과정이나 결과를 고려하지 않고 옳다는 이유 하나만으로 선의지를 택한다는 뜻이지.

선의지

칸트는 선의지를 이렇게 정의하기도 했어.

이 세계에서 또는 이 세계 밖에서 아무런 조건 없이 선하다고 생각할 수 있는 것은 오로지 선의지뿐이다.

줄을 서시오.

선의지는 어떤 원인이나 결과, 또는 목적이 있어서 선한 것이 아니다. 그 자체로 선한 것이다.

칸트는 어떤 결과에 따라서 선의지가 결정되는 것이 아니라

의지가 양심을 따르는지, 따르지 않는지에 따라서 선의지가 결정된다고 보았어.

그러므로 결과가 좋다고 해서 모두 선의지에 따랐다고 할 수는 없다고 했지.

수단과 방법을 가리지 않고 어떤 일을 성공시켰다고 해서 그것이 선의지로 얻은 결과라고 말할 수는 없다는 거야.

우리 몰래 일을 가로채다니!

계약성사

옳지 않아!

예를 들어 10명의 사람들이 조난을 당한 채 며칠을 굶주렸다고 하자.

그중 한 사람이 먹을거리를 발견했다면 그 사람은 어떻게 해야 할까?

그는 마음만 먹으면 다른 사람 몰래 음식을 혼자 먹을 수 있어.

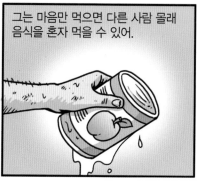

현재의 상황은 언제 다시 먹을거리를 찾을 수 있을지 전혀 알 수 없는 상황이야.

배고파

쪼르륵

또한 언제 구조될지도 알 수 없어.
이 사람은 어떻게 해야 할까?

혼자 먹을까?
나눠 먹을까?

그는 고민 끝에 음식을 다 같이
나눠 먹기로 했어.

먹을 게
생겼어요.

통조림이다.   와아

이 사람은 선하다고 할 수 있을까?
칸트는 그것만으로는 선하다고 할 수
없다고 말해.

뭐라고?
왜?

쩝쩝   몰라. 먹자.

그가 음식을 나눠 먹은 이유는
무엇인지 생각해 보자.

자신이 혼자 먹은 것을 다른 사람들이
알고 자신을 비난할까 봐. 또는 다른 사람이
먹을 것을 발견하고 나눠 먹지 않을까 봐
두려워서 그랬다면

혼자
먹다니!

들켰네!   비겁한
놈!

그의 행위는 선하다고 할 수 없어.

아쉽네.   쩝쩝

선한 행동은 무언가를 기대하고 하는 행위가
아니기 때문이야.

인간의 자율성

자율에 의한 의지는 도덕 법칙과 도덕적 의무의 근거를
말해 주는 원리야.

도덕
법칙

도덕적
의무

자율에 의한
의지

반면 타율에 의한 의지는
도덕적 의무에 대해 어떤
근거도 되지 못해서

의지의 선함을 확실하게 보장해 주지 못해.

그러므로 의지가 자율적인가
타율적인가를 따지는 것은 아주
중요한 문제야.

인간이 어떤 일을 할 때 그 일로 생길 수 있는 여러 가지 문제점들을 먼저 생각한 후에 결정하는 것은 소극적 의미에서의 자유야.

반면에 스스로 자신의 법칙을 수립하는 것은 적극적 의미에서의 자유야.

도덕 법칙은 순수한 실천 이성의 자유에서 나와.

인간이 어떤 경향이나 충동에 따른다면 의지는 스스로 법칙을 세우지 못하고

충성!

어떤 쪽이 내게 유리한지 따지며 자신에게 지시나 훈계를 내리려고 할 거야.

의지는 자신의 행복만을 위한 것이 되어서는 안 돼.

예를 들어 자신을 위해 거짓 증언을 하는 사람을 생각해 보자.

이 사람이 범인이에요.

제가 똑똑히 봤어요.

증인석

피고

거짓말!

그는 사람은 누구나 자신의 행복을 추구해야 할 의무가 있다고 주장해.

속 시원하다!

기분 나쁘게 생겼거든.

다른 사람에게 피해를 준다는 걸 알면서도 거짓 증언을 할 경우에 자신이 얻게 되는 이득을 늘어놓고

연쇄살인범 검거에 유일한 목격자 ○○씨 감사패증정

거짓이 발각될 때를 대비해 변명까지 준비해 놓고

너무 어두워서 잘못 봤다고 하지, 뭐.

넹?

'사람은 영리하게 처신해야 한다.'고 주장한다면 우리는 그 사람을 어떻게 생각해야 할까?

처세술이 좋아야 성공한다고.

우리는 그를 혐오하게 될 거야.

자기만 아는 사람

고활해.

또 다른 예를 생각해 보자. 머리가 아주 좋은 사람이 있어.

똑똑하단 말 듣기도 지쳐.

그는 자신보다 영리하지 못한 사람의 재산을 마치 자기 것인 양 사용해.

일주일만 타고 돌려줄게.

오로지 자신의 행복을 위해 이기적으로 행동하는 거지. 우리는 이런 사람을 신뢰할 수 있을까?

한 달만 컴퓨터 좀 쓸게.

다른 사람에게 신뢰받지 못하는 사람을 행복한 사람이라고 할 수 있을까?

신뢰

앞의 두 가지 예에서 본 것처럼 자신의 행복을 위해 의지를 정당화 할 수는 없어.

행복의 원리

의지

그런 의미에서 행복의 원리는 일반적 규칙으로 볼 수는 있으나 보편적 규칙이라고 할 수는 없지.

행복의 원리

일반적 규칙

보편적 규칙

'도덕은 어떻게 자신을 행복하게 만드는가?'에 대한 답은 오로지 선의지뿐이야.

그러니까 자신이 어떻게 하면 행복을 누릴 만한 품격을 갖출 수 있는가를 생각하자고.

도덕은 행복을 얻기 위한 수단이 되어서는 안 되며,

행복

도덕

다른 사람들에게 칭찬을 받거나 인정받기 위해서 도덕적인 행동을 해서도 안 돼.

이번달 선행상은

내 것!

그건 이기적인 마음에서 비롯된 행동이기 때문이야.

그런 이기적인 마음을 가진 사람은 행복을 누릴 자격이 없어.

선의지는 무제한적으로 선하다

선의지가 무제한으로 선한 이유는 개인이 살아가는 삶의 방식을 규정하는 도덕 원리와 깊이 결합되어 있고

순수 이성이 명령하는 순수한 의지이기 때문이야.

모든 의지는 선의지가 토대가 되어 선한 행위를 하게 되며

개인의 삶 전체에 영향을 끼치지.

선의지와 정언 명령

우리는 자신이 하고 싶은 것을 하려는 의지를 선의지라고 부르지는 않아.

무엇을 해야 할지 의식하고, 그것을 자신을 위해 하고자 하는 의지를 선의지라 하지.

선의지는 자연스럽게 생기지 않고 오로지 의무에 의해 생겨.

그러므로 어떤 목적이 있어서 하는 행위가 아니라, 해야만 하기 때문에 하는 행위가 선한 행위라고 할 수 있어.

선의지는 그 동기가 순수해.

만약 동기가 순수하지 않고 계산된 것이라면 선의지라고 할 수 없겠지?

우리는 주관적인 판단으로 선의지를 결정해. 단, 반드시 이성의 동의를 받아야 하지.

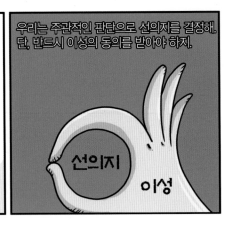

칸트는 "자신의 준칙이 보편적 법칙이 될 것을 바라는 범위 안에서 행동하라."라는 말을 했어.

자신의 행동 기준이 보편적인 법칙이 될 수 있어야 한다는 말인데

기준.

자신이 하는 일을 타인이 할 때에도 수긍할 수 있도록 행동하라는 뜻이야.

Q. 다른 사람이 나와 똑같이 행동해도 수긍할 수 있나?

☑ yes ☐ no

그러므로 선의지는 정언 명령을 따르는 의지라고 할 수 있어.

정언 명령

선의지

예를 들어 붐비는 버스 안에서 어떤 청년이 노인에게 자리를 양보하는 경우를 생각해 보자.

그 청년은 자신도 종일 일을 했고, 지금까지 서 있다가 방금 자리에 앉았기 때문에 자리에 앉아서 자고 싶었어.

그냥 눈 감고 자는 척 할까?

그러나 그의 이성이 그에게 명령을 내렸어.

앞에 서 있는 노인을 외면하지 마. 너는 사람으로서 어떻게 행동하는 것이 옳다고 생각하니? 젊은 네가 저 노인에게 자리를 양보하는 것이 옳지 않겠어?

이런 경우에 이성에 따라 행동했다면 정언 명령에 복종했다고 볼 수 있지.

어르신, 여기 앉으십시오.

완전한 선의지와 단적인 선의지

선의지에는 완전한 선의지와 단적인 선의지가 있어.

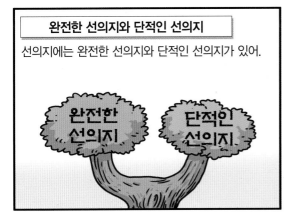

완전한 선의지는 억지로 시키지 않아도 언제나 보편 법칙과 일치하는 신의 의지야.

단적인 선의지는 보편 법칙과 일치하지는 않는 인간의 의지야.

인간의 선의지에는 강제성이 있는 정언 명령이 필요해.

완전하지 못한 인간은 이성에 복종하지 않고 감성에 의해 움직이는 일이 많기 때문이야.

보통 선의지를 최고의 선이라고 하는데, 그 이유는 인간의 도덕적 고귀함을 잘 나타내 주기 때문이야.

한편 감성이나 개인의 성향에 따라 움직이는 의지를 선택 의지라고 해.

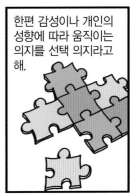

다른 요소들에 의해 움직이기 때문에 타율 의지라고도 하지.

선택 의지는 도덕 법칙을 배신하는 경우도 많아.

의지가 도덕 법칙을 배반하면 악이 발생해.

4장 정언 명령이 도덕 법칙인 이유

이성의 명령

이성이 명령한다는 게 무슨 뜻일까?

이 말이 성립하려면 두 가지 전제 조건이 필요해.

첫째, 인간의 '의지'가 불완전한 것이어야 하고,

둘째, 인간에게 '이성'이라는 특별함이 있어야 해.

이성이 인간의 불완전한 의지에 올바른 명령을 내리는 것을 '이성의 법에 따른 명령'이라고 해.

명령

이성의 법은 생각과 의지가 수시로 바뀌는 인간에게 꼭 필요하다고 할 수 있어.

무조건 따라야지!

명령은 다른 말로 명법이라고 하는데, 명령에는 가언 명령과 정언 명령이 있어.

가언 명령은 개인의 목적을 달성하기 위해 사용하는 명령이야.

출세하고 싶으면 나를 따르라.

어떤 목적을 위해 행동이 필요하다는 것을 보여 줄 때 사용하는 방법이지.

가언 명령

그러므로 가언 명령은 모든 사람들에게 올바른 명령이 아니야.

국회로 가라.

같은 목적을 가진 사람들에만 통하는 명령이지.

항복하지 않고는 못 배길걸.

목적이 다르다면 가언 명령도 의미가 없어져.

어딜 감히!

가언 명령은 대개 "만약 ~을 원한다면, ~을 해야만 한다."는 식으로 말해.

좋은 대학에 가길 원한다면 열심히 공부해야 해.

네.

"만약 네가 살을 빼려면 운동을 열심히 해야 한다."도 좋은 예가 되겠지?

살 뺄 거야. 뺄 거라고, 헥헥!

가언 명령은 자신이 행복을 얻기 위해서 필요한 행위를 명령해.

권력을 얻고 싶었는데…

그러므로 가언 명령은 자신이 이루고자 하는 목적을 위한 규칙이며 조언인 셈이야.

가언 명령은 그 자체로서 필요한 것이 아니라 다른 목적을 위한 수단이므로 타율에 의한 명령이라고 할 수 있어.

정언 명령은 행위의 결과를 따지지 않고 행위 그것 자체가 선이므로 무조건 수행해야 하는 도덕적 명령이야.

오냐.

효도할게요.

정언 명령은 이성의 명령으로, 예외가 없으며

어떤 전제 조건도 필요 없어.

그 자체로 해야만 하는 명령이기 때문에

정언 명령이 떨어지면 우리는 반드시 행동해야 돼.

사람이라면 당연히 지켜야 할 의무라고도 할 수 있지.

'사람으로서 꼭 해야 하는 행위는 좋은 행위이다.'라는 말에 대해 살펴보자.

우리 자신도 여기에 포함되겠지?

'사람은 좋은 행위를 할 필요가 없다.'라고 말할 수 있는 사람이 있을까?

사람이라면 좋은 행위를 하는 게 당연하지!

정언 명령은 이성 법칙을 존경한다고 볼 수 있어.

이 성 법 칙

이성은 객관적으로 필연적인 능력인 동시에 주관적으로도 필연적인 능력이야.

주 관 적

이성적으로 생각할 때 그렇게 하는 것이 객관적으로 옳다면 주관적인 입장에서도 그 원칙이 일관되게 적용되어야 해.

정언 명령은 그 자체로서 절대적인 가치를 가지며 목적 그 자체라고 할 수 있어.

왜냐하면 정언 명령은 '너의 인격 속에도, 다른 모든 사람의 인격 속에도 존재하는 인간성'을 목적으로 생각하고 행동하기 위한 법칙이기 때문이야.

정언 명령은 의도나 목적에 상관없이 행위 그 자체만으로 좋은 원리이므로

대개 "~을 해야만 한다."는 식으로 표현되지.

인간만이 스스로 의무를 지우고 의무를 행하는 능력이 있기 때문에

칸트는 의무로부터 나온 행위만이 도덕적 가치를 지닌다고 봤어.

여기서 '의무로부터 나온 행위'란 어떤 것일까? 칸트의 설명을 들어 보자.

어떤 상인이 물건을 팔 때 사람들에게 바가지 씌우지 않고 항상 정해진 가격만 받고 판다고 하자. 이는 정직의 원칙에 따른 것이며 의무로부터 나온 행위가 맞아.

그러나 그 행동이 사람들로부터 신용을 얻은 뒤에 나중에 비싸게 팔아 더 큰 이윤을 보려고 하는 행위라면 의무로부터 나온 행위가 아니야.

겉으로 보아서 선한 행위라고 해도 그것이 도덕 법칙, 즉 정언 명령에 따른 의무에서 나오지 않았다면 선한 행동으로 볼 수 없다는 거야.

다른 사람들에게 항상 친절을 베풀고, 도움을 주는 행위처럼 보여도 그 동기를 따져 봐야 하지.

가령 착한 사람이라는 말을 듣고 싶은 허영심이나, 나중에 그들의 지도자가 되고 싶은 욕심 때문에 착한 일을 했다면 그 사람은 선하다고 할 수 없지.

그럴 땐 오히려 비난을 해야지.

어떤 사람이 스스로 목숨을 끊으려고 한다면 어떨까?

쯧쯧, 자신의 목숨을 버리려고 하다니… 그건 자신에 대한 의무를 버리는 거나 마찬가지야.

칸트는 부모나 자녀, 친구들을 포함한 타인에 대한 의무는 나중에 생각하더라도 먼저 자기 자신에 대한 의무를 생각해 보라고 했어.

또한 자살은 본능적으로 주어진 자기 보존을 위한 법칙에도 어긋난다고 했어.

그러니까 죽지 마.

사람이 정언 명령을 지키는 이유는 자유의 이념을 알고 있기 때문이야.

사람에게는 감성을 넘어서고, 지성도 넘어설 수 있는 이성이 있어.

의지를 결정할 수 있는 자유이지.

여기서 말하는 '자유'는 개인이 원하는 대로 결정하고 행동하는 그런 자유가 아니야.

도덕 법칙에 따르고 이성의 명령에 복종하기 위한 자유를 말해.

이런 자유가 정말 가능하냐고? 그건 알 수 없어.

이것을 알아내는 것은 인간의 한계를 넘어서는 일이기 때문이야.

정언 명령은 보편적이고 인격적이어야 한다

칸트는 정언 명령의 원리를 두 가지로 설명했어.

첫째는 보편주의야. 칸트는 의지의 준칙이 항상 보편적이어야 한다고 말했지.

보편적이라는 말은 모든 것에 공통되거나 들어맞는다는 뜻이야.

교통 질서는 보편적 규칙이므로 잘 지켜야지.

여기에서 준칙은 객관적인 의지가 아니라 주관적인 의지에서 나온 거야.

보편주의의 핵심은 도덕 행위에 대해 엄격한 형식을 적용한다는 점이야.

내 경험이나 관계에 따라 사람을 차별한다거나

얼굴에 점 있는 사람을 멀리하라 했거든?

나와 다른 사람에게 적용하는 기준이 달라서는 안 되지.

당연하죠!

우리 친구.

새로 생긴 파스타 전문점에 가 보자!

예를 들어 나와 가까운 선배나 친척만 감싸고 돈다면

우리 끼리만!

왕따 당한 건가?

그 행동은 보편적 도덕 법칙에 어긋나는 일이야.

경험이나 감정, 관계에 근거한 도덕 행위는 옳지 않아.

감정

경험

악!

둘째는 인격주의야.

네 자신을 포함해서 모든 사람의 인격을 대할 때는 언제나 목적으로 대하고, 결코 수단으로 대하지 않도록 행동하라.

인격은 도덕 행위의 근거가 되기 때문에

타인의 인격뿐만이 아니라 자신의 인격도 함께 존중받아야 해.

자신의 인격을 존중하는 것은 자신에 대한 의무이며

자기 자신을 존중할 때 타인도 존중할 수 있기 때문이지.

어떤 목적을 이루기 위해서 다른 사람에게 지나치게 비굴해지거나 노예처럼 행동하는 것은 인격적이지 않아.

내 발에 입 맞추면 살려 주지.

그 자체로 존중 받아야 할 사람을 사고파는 물건처럼 여기며

수단으로 취급하는 행동이므로 정언 명령을 어기는 일이지.

칸트는 인격주의를 강조하기 위해서 이렇게 말했어.

노예가 되지 마라.

자신을 벌레로 만드는 자는 나중에 자신이 짓밟힌다고 불평할 수 없다.

자신과 타인을 인격적으로 대하는 일이 왜 중요한지 알겠지?

당신은 고귀한 사람.

당신도 고귀한 사람.

도덕 법칙

정언 명령은 궁극적으로 도덕 법칙이야.

칸트는 도덕 법칙에 대해 이렇게 설명했어.

도덕 법칙은 실천을 위한 법칙이기 때문에 실천 원칙이라고도 한다.

원칙의 조건들이 주관적으로 타당하다고 생각되면 준칙이라 한다.

반면 원칙의 조건이 객관적으로도 타당하다고 생각되면 실천 법칙이라 한다.

실천 법칙은 이성적 존재의 의지에 타당한 것들이다.

칸트는 도덕 법칙을 실천 법칙과 준칙으로 나누고, 실천 법칙은 누구에게나 적용되는 법칙으로 봤어.

반면에 준칙은 이성이 주관적으로 정한 규칙이야.

예를 들어 '어떤 모욕을 받으면 참지 않고 보복한다.'라는 결정은 준칙이라고 할 수 있겠지?

날 화나게 했어. 맞아라.

실천 법칙은 이성적인 인간이라면 누구나 따라야 하며

주관적인 준칙과는 달리 모두가 받아들여야 하는 명령과 같지.

왜냐하면 실천 규칙은 객관적이기 때문이야.

그러나 준칙이 실천 법칙이 되는 경우도 있어.

이에 관해서 칸트는 다음과 같이 말했어.

누군가 "거짓말하면 안 된다."라고 한다면 이것은 그 사람의 의지에 관계되는 하나의 규칙이다. 즉, 준칙이라 할 수 있다.

그러나 이 규칙이 실천적으로 올바르다는 것이 밝혀지면 그것은 법칙이자 정언 명령이 된다.

그러나 주관적인 의지가 아무리 철저하다 해도 모두 도덕 법칙이 되는 것은 아니야.

주관적 의지

쿵

도덕 법칙

경험적으로 볼 때 모든 사람의 의지는 동일한 객관성을 갖지 못해. 각자 자기의 이익만을 고집하기 때문이야.

내 거야.

흥 천만에.

사람은 자기 만족을 위해서 여러 가지 원칙을 정할 수는 있어.

몸짱이 되자.

하지만 그런 것들이 모두 보편적인 실천 법칙이 될 수는 없어.

먹는 게 남는 거다.

다이어트해도 요요 현상이 와서 실패할 건데, 뭐.

실천 법칙이 될 수 없는 것은 도덕 법칙이 아니야.

까아악!

질서 좀 지켜요!

나를 사랑하기 위해 정한 법칙은 실천 법칙이 될 수 없어. 즐거움을 얻거나 고통의 감정을 피하기 위하여 여러 가지 수단을 쓸 수 있기 때문이야.

부 아 앙

사람들이 자기 만족을 위해서 세운 원리는 상황과 조건에 따라 자주 변하잖아?

아무래도 다시 운동을 해야겠어.

와아!

그것은 언제나 변할 수 있는 경험에 불과해.

반면 실천 법칙은 선험적 근거들에 바탕을 둔 객관적이며 필연적인 법칙으로

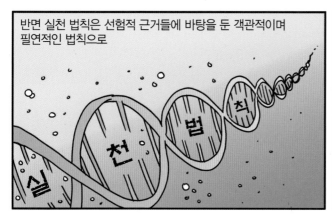

경험이 아니라 이성에 의해서 먼저 인식되지.

주관적인 경험을 통하지 않고 이성의 힘을 통해서 세운 원리만이 도덕 법칙이 될 수 있어.

실천 법칙은 의지가 자유롭다는 점을 전제해야 발견할 수 있어.

우리는 의지가 있을 때 실천하기 때문이야.

그러므로 자유와 실천 법칙은 서로 돕는 관계라고 볼 수 있어.

인간은 스스로 만든 도덕 법칙들 아래 세워진 인격적 존재임을 명심하자.

5장
의무에 대하여

의무란 인간이라면 누구나 해야 하는 일을 말해.

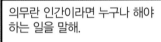

인간으로서 마땅히 해야 할 법칙이라는 뜻으로

행위의 법칙이라고도 부르지.

반드시 해야만 하기 때문에 하는 행위와

조국을 지키기 위해서라면···

자신이 원해서 하는 행위 사이에는 큰 차이가 있어.

난 죽기 싫어!

칸트는 사람으로서 해야만 하는 행위가 도덕적으로 가치가 높다고 했어.

의무라는 개념은 오래 전부터 많은 사람들이 중요하게 여겼어. 그 대표적인 인물로 로마 시대의 키케로가 있지.

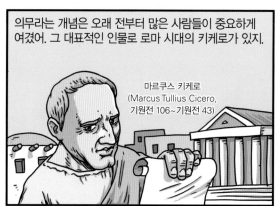

마르쿠스 키케로
(Marcus Tullius Cicero,
기원전 106~기원전 43)

키케로가 쓴 《의무론》을 보면 당시 로마인들이 의무에 대해 어떻게 생각했는지 잘 알 수 있어.

우리 생활의 어떤 부분도 의무에서 벗어날 수가 없다. 그러므로 명예로운 모든 일은 의무를 이행하는 데 달려 있다.

의무를 이행하지 않는 것은 도덕적으로 옳지 않고 불명예스럽고 추하다.

호의를 베풀고 은혜를 보답함에 있어 모든 조건이 같다면, 최대의 의무란 도움이 필요한 자에게 최대의 도움을 주는 것이다.

그렇다면 칸트는 의무에 대해 어떻게 생각했을까?

의무

의무의 정의

칸트는 의무를 '감각'과 '예지'로 나누어서 생각했어.

감각   예지

자연법칙에 따르면 사람은 자신의 행복을 추구하려는 마음이 강해.

그리고 행복해지기 위해서 행동하게 되는데, 감각적 세계는 그 동기를 경험에서 찾지.

날씬하고 건강하게 살고 싶어.

스포츠 센터

예지란 생각해서 미리 아는 것을 의미해.

예지의 관점에서 행동의 동기를 살펴보면 이성의 순수한 의지가 작용하는 것을 알 수 있어.

몽이야 달려.

이성에 바탕을 둔 의지는 상황에 따라 바뀌지 않는다고 했지?

그러므로 예지에 따라 우리가 어떤 행동을 할 때, 그 법칙은 보편적이고 타당한지를 기준으로 만들어져.

의무는 이성적인 사고에서 나오기 때문에 인간만이 할 수 있는 일이야.

이성적이지 않은 동물은 오직 자연법칙만을 따르지.

사람은 자신의 행복을 우선적으로 추구하려는 경향이 있어서 유혹에 약해.

저 차 갖고 싶어.

하지만 순수 의지가 있어서 이러한 유혹에서 벗어날 수 있어.

꼭 필요한 것도 아닌데…

지금 나에겐 경차가 낫지.

행복을 추구하려는 개인의 경향과 순수 의지가 팽팽하게 맞설 때

개인의 행복

순수 의지

사람은 자신에게 부과된 도덕 법칙, 즉 의무를 받아들이는 거야.

이런 의미에서 사람의 의무는 법칙을 존경하는 마음에서 생긴다고 할 수 있어.

법칙

자율 의지와 도덕 법칙이 의무를 지키기 위한 중요한 원리가 될 수밖에 없는 이유지.

도덕 법칙

자율 의지

행위의 종류

행위에는 의무를 거스르는 행위와 의무에 따르는 행위가 있어.

의무

의무를 거스르는 행위는 도덕적일 수 없어.

선장

나 먼저 탈출해야지.

그렇다고 의무에 적합하다고 해서 그것만으로 도덕적인 행동이라고 할 수는 없지.

앞장 서서 싸우면 날 영웅으로 봐 주겠지?

의무에는 적합하더라도 사실 어떤 대가를 바라고 하는 행위도 있기 때문이야.

전쟁에 큰 공을 세웠으므로 훈장을 수여한다.

착한 일이라고 해도 마음속으로 대가를 기대한다면 의무에 적합하지 않은 행동이라고 할 수 있지.

제가 짐을 들어드릴게요.

선행상을 타면 좋을 텐데…

고마워, 젊은이.

행동을 하는 동기가 중요하고 엄격하다는 칸트의 말을 이제 알겠지?

윤리학

의무의 종류

의무의 종류는 다양해.

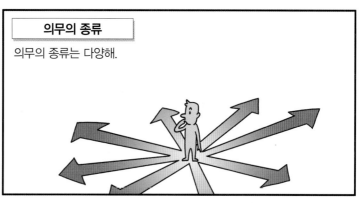

그중에서 대표적 의무인 법 의무와 덕 의무(도덕 의무)에 대해 알아보자.

국가의 강제력이 따르는 사회 규범.

도덕적·윤리적 이상을 실현해 나가는 능력.

법 법   덕 덕

법 의무는 권리와 관련이 있고 덕 의무는 인격과 관련이 있어.

법 의무가 인간에게 무엇이 옳고 정당한가를 말해 주는 의무라면

덕 의무는 인간에게 가치 있는 것, 즉 사람 자체에 관련된 의무야.

법 의무와 덕 의무 모두 실천 이성의 자율에 의해서 지켜지지만 조금 차이가 있어.

법 의무는 법칙으로 정해지기 때문에 강제로 지켜야 하는 의무야.

법칙

반면 덕 의무는 자유로운 자기 의지로 지키는 의무야.

법 의무의 준수 여부를 심판하는 역할은 외부 재판소가 하지만,

피고!

무기 징역!

도덕 의무의 준수 여부를 심판하는 역할은 우리 안에 있는 내부 재판소, 즉 '양심'이 하지.

도덕 의무를 따를까?

따르지 말까?

법 의무는 다른 사람과 사회적인 문제가 생겼을 경우에 적용돼.

정해진 법을 위반할 경우 법원은 그 사람을 강제로 가두거나 처벌할 수 있어.

법 의무는 그 행위의 적법성을 따지기 때문에 '좁은 의무', 혹은 '엄격한 의무'라고 해.

악!

반면 도덕 의무는 개인의 내면에 적용되는 의무이기 때문에

자기 스스로 법을 만들고 지키려고 하지.

도덕 의무는 법 의무와 달리 동기가 아주 중요하기 때문에

도덕적 인가?

도덕적이지 않은가?

'넓은 의무', 혹은 '공적 의무'라고 해.

그밖에 완전 의무와 불완전 의무도 있어. 이 의무들은 각각 자신에 대한 의무와 타인에 대한 의무로 나뉘어.

완전 의무

불완전 의무

자신에 대한 의무

타인에 대한 의무

자신에 대한 의무

타인에 대한 의무

자신에 대한 완전 의무는 우리가 인간으로서 마땅히 누려야 할 권리를 보호하는 의무이고

타인에 대한 완전 의무는 타인의 권리를 침해하지 않을 의무야.

빛을 가리지 마. 캄캄해.

예를 들어 거짓 약속을 하지 않는 것은 타인에 대한 완전 의무라고 할 수 있겠지?

자신에 대한 불완전 의무는 자신의 능력을 최대한 발휘하도록 하는 의무야.

즉 자신의 자연적이고 도덕적인 능력이 완전해지도록 노력하는 의무지.

타인에 대한 불완전 의무는 타인의 행복을 위한 의무를 뜻해.

행복하게 살아.

따라서 타인에 대한 완전 의무는 법 의무에 속하며,

고마워.

자신에 대한 완전 의무, 타인에 대한 불완전 의무, 자신에 대한 불완전 의무는 모두 도덕 의무에 속해.

도덕 의무

법의 정당성

법적으로 정당한 행위란 법이 정한 의무에 맞게 행동하는 것을 말해. 반면 불법적인 행위는 법이 정한 의무에 어긋나게 행동하는 것을 말하지.

고의로 했든, 실수로 했든 법을 위반한 사람은 그에 따른 처벌을 받아야 해.

이처럼 법 의무는 사람들에게 법이 정한 최소한의 의무에 맞게 행동할 것을 요구하지.

法

그렇다면 법 의무의 정당성은 어디에 있을까?

나는 도덕성에 있다고 봐.

덕 의무에서는 결과보다 동기가 더 중요하다고 했지?

냐~옹

도덕성은 그 행위를 하는 사람이 정한 규칙이 보편적인 법칙과 일치하느냐에 달려 있어.

다시 말하면 내가 그 행위를 의무로 하느냐, 그렇지 않느냐에 따라 도덕성이 결정된다는 뜻이야.

의무로부터 나온 행위만이 도덕적 가치를 가지기 때문이지.

도덕

의무

그런 의미에서 인간이 인간답게 살기 위해서는 법이 아니라 윤리학을 기초로 두어야 함을 알 수 있어.

윤리학

'의무로부터 나온 행위'와 '의무에 맞는 행위'의 차이점

우리가 생명을 지키기 위해서 하는 행위는 언제나 의무에 맞아.

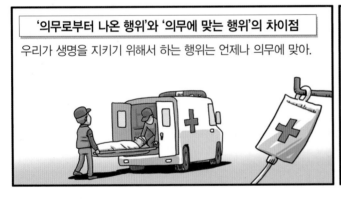

하지만 생명을 지키기 위해서 한 행위가 죽음에 대한 두려움에서 비롯되었다면, 그 행동은 의무에 맞는 행위라고 보기 어려워.

예를 들어 너무 외로워서 애완동물을 돌본다거나

자, 밥 먹어.

자신이 특별히 좋아하는 동물의 생명을 다른 동물의 생명보다 소중하게 여긴다고 하자. 겉으로 보기에는 생명을 존중하는 것으로 보여서 의무에 맞는 행위라고 판단하는 사람도 있을 거야.

그러나 '의무로부터 나온 행위'는 아니야.

타인에게 착한 일을 하는 것도 인간의 중요한 의무 중 하나야.

그러나 동정심이나 내가 남보다 낫다는 우월감, 또는 이기심으로 남을 돕는다면, 그것은 의무로부터 나온 행위라고 할 수 없어.

이 정도는 껌 값이지.

와, 돈이다!

칸트는 '의무로부터 나온 행위'는 객관적으로는 실천 법칙에 맞아야 하고, 주관적으로는 법칙을 존경하는 마음에서 나온다고 했어.

법칙

의무로부터 나온 행위는 필연적이고 실천적인 강요라고 할 수 있으며, 그 바탕이 되는 것은 도덕 법칙이라는 뜻이지.

필연적

실천적

의무와 목적은 다르다

사람이라면 누구나 '나 자신의 완전성'이나 '다른 사람의 행복'을 위해서 노력해야 해.

연습, 연습.

자신이 행복해지길 바라는 것은 목적이 될 수는 있지만 의무라고 하기 어려워.

누구나 당연하게 생각하는 것을 의무라고 할 수 없기 때문이야.

그래서 자기의 행복을 위해 의무를 다하라는 말은 어리석은 말처럼 들리지.

행복

의무

타인의 완전성을 나의 목적으로 삼는 것도 옳은 일이 아니야.

호오, 판박이!

각도 좋고, 방향 좋고!

인간은 인격체로서 자기 자신의 완전성을 향해 나아갈 능력이 있어.

또한 자신의 완전성을 누가 대신 이뤄 줄 수 없으며

자신만이 할 수 있는 일을 타인의 의무로 미룰 수도 없어.

의무는 자유 의지에서 나오기 때문에

자신을 완전하게 만드는 것을 자신의 의무로 받아들여야만 해.

인간으로서 자기의 목적에 부합하는 행위를 하는 것은 당연한 일이야.

사람은 내적 자유를 가지고 있으며

자유롭게 선택하고 판단할 수 있는 인격체로 자기 자신에 대한 의무를 다할 수 있는 존재야.

의무를 실행할 충분한 능력을 가지고 있지.

의무는 객체적인 의무와 주체적인 의무로 나눌 수 있어.

객체적인 의무는 자신을 제한시키는 소극적 의무를 말해.

주체적인 의무는 자신을 더욱 확대시키는 적극적 의무를 말해.

객체적인 의무는 인간의 자기 완성이라는 목적에 거슬리는 행동을 금지하는 명령이며,

주체적인 의무는 어떤 대상을 목적으로 삼아 의지를 가지고 행동하게 만드는 능동적인 명령이야.

적의 진지를 공격하라!

그래서 학자들은 객체적인 의무를 '불이행의 의무' 혹은 '금지의 의무'라고 말하지.

칸트는 《실천이성비판》에서 의무의 원칙을 크게 두 가지로 정리했어.

첫째, 자연 본성에 맞게 살라, 즉 너의 자연 본성이 완전한 상태가 되도록 너를 보존하라!

둘째, 자연이 만든 너보다 더욱 완전한 너를 만들라!

동물적 의무와 도덕적 의무

자신에 대한 의무는 동물적 측면과 도덕적 측면으로 나누어 생각할 수 있어.

인간은 완전한 존재가 아니므로 동물적인 욕구를 가지고 있고

그 욕구를 통제하는 것은 의무야.

의무

그렇다면 우리가 자신과 맞서서 스스로 지켜야 할 의무에는 무엇이 있을까?

먼저 자살을 생각해 볼 수 있어. 동물적 측면에서 보자면 자신에 대한 의무는 자신을 보호하고 자신의 능력을 개발하고 증진하는 일이라고 할 수 있지.

즉 자신의 능력을 발휘하고 자아를 실현하려는 목적이 있는데

그 목적을 이루기 위해서는 인간의 존엄성을 지켜야 하지.

그런데 이에 반대되는 행위가 바로 자살이야.

자살 행위는 의무에 어긋나는 일이며

자신을 목적으로 대해야 한다는 규칙에도 어긋나.

사람은 누군가의 자식이며

누군가의 배우자, 또는 부모이기도 해.

자살은 자신의 존엄성을 해치는 행위이며, 시민의 한 사람으로서 사회에 대한 의무를 저버리는 중대한 범죄 행위야.

스스로 당당해지는 것은 도덕적 의무 중 하나로,

도덕적 의무

우리는 자신의 인간성을 상실하지 않도록 노력해야 하지.

어우~

자신에 대한 의무를 지키기 위해서 자기 자신을 통제하고, 이성에 의한 의무를 다해야 해.

만약 인간에게 이성이 없다면 인간이 사는 세상도 동물의 왕국과 다르지 않겠지?

하지만 자연은 인간이 동물처럼 사는 것을 허락하지 않아.

거짓말은 대표적인 비양심적 행위로

결과에 상관없이 그 자체로 비난받아야 해.

남에게 구걸하는 행위도 인간으로서 올바르지 못한 일이야.

한 푼만 줍쇼.

남의 기분에 억지로 맞추다 보면 자기다움을 잃기 때문이지.

아름다우시네요! 한 푼만 주시죠. 네?

진심 이에요?

내가 참자

구걸하는 자신을 경멸하게 되고, 자신이 가치 없는 사람처럼 느껴질 거야.

왜 이러고 살지? 비참해.

또한 스스로 비굴해져서도 안 돼.

돈 없어도 당당하게 살 거야.

캉

인간은 도덕적 실천 이성의 주체가 될 때 인간으로서 가치가 있어.

존엄성을 가진 인간은

자신의 존엄성 위에서 타인과 동등하게 평가 받아야 해.

존엄성

그러므고 자신의 인간성을 잃지 않도록 노력해야 하지.

6장

사람의 마음속에 있는 법정 '양심'

사람은 선악을 판단할 수 있는 능력을 가지고 태어나. 우리는 이 능력을 '양심'이라고 해.

양심은 사람의 내면에 있는 법정이라고도 하지.

사람에게 양심이 있는 까닭은 무엇일까?

독일 철학자 볼프는 양심의 기초가 되는 것은 이성이라고 했어.

크리스티안 볼프
(Christian Wolff, 1679~1754)

사람에게 이성이 있기 때문에 양심이 있다는 거야.

이성

칸트도 볼프의 주장을 이어받아 감정보다 이성이 양심에 더 큰 역할을 한다고 생각했어.

이 성

그는 양심이라고 하는
법정 안에서

나는
죄가
없어.

자신의 다른 생각들이 서로 고소하고
변명한다고 여겼지.

더 정확하게 말하자면 우리 안에
있는 세 가지 인격이 법정에서
싸운다고 보았어.

세 가지 인격이란 고소하는 인격, 판단하는 인력, 고소당하고
판결을 받는 인격을 말해.

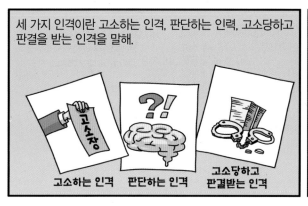

고소하는 인격   판단하는 인격   고소당하고
판결받는 인격

어떻게 하나의 마음에 세 가지 인격이 있을 수 있을까?
칸트는 인간이 감성과 예지를 동시에 가지고 있기 때문
이라고 설명했어.

예지는 이성으로 판단하는 능력이고,
감성은 각자의 감정으로 사물을 판단하는
능력이야.

예지   감성

우리 안에는 감성인과
예지인이라고 하는 다른 인격이
있어서

양심의 법정이 열릴 수 있다고
본 거지.

양심

양심을 따르는 것은 신의 나라를 세우는 것

양심과 지성은 서로 다른 판단을 내릴 수 있어.

어떤 행위를 두고 옳고 그름을 객관적으로
따져 보고 판단하는 것은 지성이야.

꼼짝 마!

그래서 지성은 잘못된 판단을 할 수 있어.

객관적인 판단을 내렸다고 생각할지라도 실제로는 잘못 판단하는 경우가 생기지.

무기를 버리려고 했는데….

공격하는 줄 알고….

반면 양심은 잘못된 판단을 내릴 수 없어.

자신이 올바르다고 믿는 행위를 했는가, 하지 않았는가를 도덕적으로 판단하기 때문이야.

양심은 항상 자신의 내면에서 나오는 소리에 따라 행동을 결정하지.

칸트는 도덕에 근거해 판단하는 양심을 가리켜 '형식적 양심'이라고 했어.

형식적 양심

도덕

우리가 형식적 양심으로 판단하는 데에는 절차가 있어.

우선 행동을 하기 전에 '결심'을 하고

시험 공부를 하자!

그 다음에 행위를 하는 '과정'이 있고, 마지막으로 행위 후에 '반성'을 하지.

30분만 놀고 할까?

조금만 놀걸!

결심은 '경고하는 양심'이라고 할 수 있어.

해서는 안 되는 일을 하려고 하면 양심은 '그렇게 해서는 안 돼!' 하고 우리에게 경고를 하지.

과정은 '가책을 느끼고 변명하는 양심'이야.

해서는 안 되는 일을 하면서 타인이 아닌 자기 자신에게 변명을 하지.

그렇게 할 수 밖에 없었어. 정말 다른 방법이 없었다니까!

반성은 판결로 나타나는 양심이야.

후회하거나 마음의 평안함을 느끼는 양심이라고 할 수 있지.

살다 보면 후회하게 되는 경우가 자주 있잖아?

그럴 때 우리는 "아! 내가 왜 그랬을까? 이제 다시는 그렇게 하지 않을 거야."라고 말하곤 하지.

왜 난 놀기만 했을까?

만약에 자신이 한 일에 떳떳하다면 편한 마음으로 이렇게 생각할 거야.

그렇게 하기를 참 잘했어. 처음에는 좀 망설였지만, 그렇게 하지 않았다면 지금 많이 후회했을 거야.

양심은 우리가 가지고 있는 가장 값지고 소중한 마음이야.

만약 우리가 사는 세계를 양심이 지배한다면, 지상에는 신의 나라가 세워질 거야.

양심은 타고난다

사람에게는 이웃을 사랑하거나 자기 자신을 존중하는 마음 같은 도덕적 특성이 있어.

한번 먹어 보세요.

고마워요.

이런 특성들은 대다수의 사람들이 본능적으로 타고나는 소질이야.

우리는 이러한 소질들을 경험이 아닌 도덕 법칙에 의해 의식해.

양심도 인간이 타고나는 소질인데

인간이 본성적으로 도덕적인 존재임을 알려 주는 지표야.

칸트는 양심을 '실천 이성'이라고 했어.

어떤 일이 일어나면 양심이 우리에게 무죄 판결이나 유죄 판결을 내리고 훈계하기 때문이야.

또한 우리의 행동뿐 아니라 우리 자신의 생각들을 고발하거나 변호하기도 하면서

양심에 찔려.

우리 내면에 법정이 있다는 사실을 의식하게끔 해줘.

칸트는 양심을 판단력의 한 종류로 생각했어.

양심 때문에 자신이 한 행위가 도덕 법칙 아래 일관성 있게 이루어졌는지 판단할 수 있으며

자신의 행위와 도덕 법칙을 비교해 유죄 혹은 무죄 판결을 내린다고 했지.

예를 들어 자신이 그때그때 기분이나 감정에 따라서 행동하면,

양심은 '왜 그렇게 무책임하게 행동을 하니?'라고 물으며 자기 자신에게 책임을 지워.

우리 내면에 있는 도덕적 인격은 누가 강요하거나 시키지 않았더라도

감정에 따라 행동한 자신을 스스로 법정에 세우지.

모든 인간에게는 양심이 있기 때문에

내면에 있는 재판관을 통해 자신을 관찰하고 경고하거나

자신을 인정하고 존중하는 마음을 갖도록 해.

양심은 우리 자신의 그림자다

양심은 우리 스스로 만들어 낸 것이 아니야.

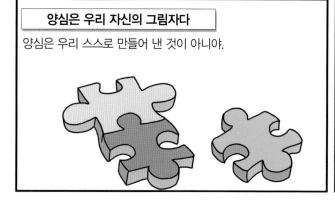

우리 안에 함께 있어서 늘 그림자처럼 따라다니는 존재이지.

우리는 가끔 지나친 욕망으로 양심에 무감각해질 때도 있지만

곧 양심을 되찾고 본래의 자신으로 되돌아오지.

그땐 마치 잠에서 깨어나는 기분일 거야.

양심이 들려주는 두려운 목소리를 우리는 피할 수 없어.

가끔 양심이 없어 보이는 사람이 있지만 그 사람이 양심이 부족하거나 결여된 사람이라는 뜻은 아니야.

다만 양심의 판단에 신경을 쓰지 않는 사람일 뿐이지.

가끔 우리는 어떤 것이 의무인지, 의무가 아닌지 헷갈릴 때가 있어.

그럴 때 도덕적 양심에 따른다면 잘못 판단하는 일도 없겠지?

만약 어떤 사람이 "내 양심에 따라 행동했을 뿐이에요." 하고 말한다면 그에게 책임을 묻기가 어려워.

그 사람의 행위가 객관적으로는 이해되지 않지만 자신의 양심에 따라 행동했으므로 그 사람을 함부로 비난할 수 없기 때문이지.

양심의 소리에 따라 행위를 했다면 그것은 자기 마음대로 한 행동이 아니라

해야만 하는 행동이라고 할 수 있어.

내면의 재판관이 내는 목소리에 따른 행동일 뿐이니까.

도덕 감정이란 무엇이며, 재판관의 정체는 무엇일까?

칸트가 주장하는 도덕 철학의 근본은 실천 이성과 의지야.

실천 이성과 의지가 각 개인의 도덕 원리로 자리 잡으려면 개인의 감정을 통해야 해.

의지는 이성에 의해서 규정되고 영향을 받으며 이성의 보편 법칙에 따라,

때로는 감각적 욕구가 의지를 지배하는 바람에

이성이 제시하는 방향대로 의지가 움직이지 않기도 해.

도덕 법칙에 따라 의지가 움직이게 하려면 특별한 감정이 있어야 하지.

칸트는 이것을 '도덕 감정' 이라고 했어.

도덕 감정이란 도덕 법칙에 대한 존경심이라고 할 수 있어.

이 존경심은 우리가 흔히 느끼는 쾌감이나 고통과 같은 심리적 감정과는 다른 거야.

고통이나 슬픔, 기쁨과 같은 감정은 경험을 통해 느끼게 되지만

도덕 법칙에 대한 존경은 경험에서 나오지 않아.

도덕 법칙에 대한 존경심은 순수한 지성에서 우러나오는 감정으로,

경험하지 않아도 알게 되는 특별한 감정이지.

오로지 이성만이 이런 특별한 감정을 만들어 낼 수 있어.

그리고 이 감정은 실천적 순수 이성의 명령에만 복종해.

도덕 감정은 적극적이며, 실천적인 감정으로

사람들이 도덕 법칙에 관심을 갖도록 유도하지.

도덕 법칙을 존경하는 사람은 도덕적인 사람이 될 수 있어.

도덕 법칙을 존경하는 마음이야말로 유일하고도 확실한 도덕적 원동력이기 때문이야.

실천 이성이 무엇을 어떻게 행하는 것이 옳은지 알려 준다면

의지는 마음이 어느 쪽으로 가야 할지 방향을 가리키는 역할을 하지.

이성은 의지를 정하고,

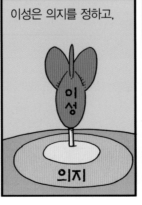

의지는 이성이 정하는 대로 그 법칙을 따르는 거야.

의지에 반해 충동을 따를 때도 있지만

사람은 누구나 도덕 감정을 가지고 있단다.

물론 도덕 감정에 무감각한 사람도 있어.

이런 사람은 죽은 사람과 같아.

거의 동물과 다름없으니까 말이야.

도덕 감정은 후천적으로 습득되는 것이 아니므로 스스로 계발해야 해.

인간은 수동적으로 도덕 법칙을 따르는 존재가 아니라,

도덕 감정을 지닌 채 자발적이고 적극적으로 도덕 법칙을 따르는 존재이기 때문이야.

그렇다면 양심은 도덕 법칙에 대한 존경심과 어떤 관련이 있을까?

사람은 어떤 행위를 할 때 자신이 정해 놓은 도덕 법칙의 범위 안에서 행동하려는 경향이 있어.

도덕 법칙에 대한 존경심을 해치지 않는 범위 안에서 행위를 한다는 거야.

결국 양심이란 도덕적인 관심을 가지고 한 행동이

도덕 법칙을 준수했는지를 판단하는 기준이라고 할 수 있어.

내면의 재판관은 누구일까?

사람의 마음속에 있는 법정을 다스리고

우리 마음을 관찰하며

우리 마음을 구속할 수 있는 존재야.

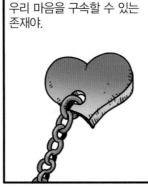

도덕 법칙에 적합한 행동을 할 수 있게끔 만드는 전능한 존재이지.

우리 마음이 도덕 법칙에 따르도록 만드는 절대적인 존재라면

내면의 재판관을 우리 안에 있는 신이라고 불러도 되겠지?

우리 내면에 있는 신적인 존재, 이것이 바로 실천 이성이야.

실천 이성이 있기 때문에 우리는 도덕 법칙을 스스로 정하고

그 법칙에 복종하며, 법칙을 지키지 않을 경우에는 스스로 준엄한 심판을 내리지.

쓰레기를 함부로 버리다니!

잘못했어요.

양심은 사람이라면 꼭 지켜야 하는 이념이야.

칸트 철학에서 '이념'은 중요한 개념이야. 이념은 의무의 의미를 알고 실천 이성을 통해서 깨달을 수 있는 것으로,

이성에 의해 얻어지는 개념이지.

인간은 이성이 있기 때문에 자유 의지를 통해서 스스로 법칙을 세우고,

이 법칙에 복종함으로써 양심을 유지할 수 있어.

별이 반짝이는 하늘과 마음에 반짝이는 도덕 법칙

칸트는 《실천이성비판》의 마지막에 '양심'에 빗대어 멋진 글을 남겼어.

내 마음을 늘 새로운 놀라움과 경외심으로 가득 채우는 두 가지가 있다.

하나는 내 위에 있는 별이 빛나는 하늘이고 다른 하나는 내 속에 있는 도덕 법칙이다.

칸트의 묘비에도 새겨진 이 글은 이 책의 결론이기도 해.

매우 시적이면서도 철학적인 표현이지? 이 글은 다음과 같은 내용으로 끝나.

이 두 가지를 삶의 지침으로 삼고 나아갈 때
나는 올바른 인간으로 살아갈 수 있다.
늘 별이 빛나는 하늘과 도덕 법칙에 비추어 나 자신을 점검하자.
그리고 잘못된 점이 있으면 반성하고 고쳐서
앞으로 나아가는 사람이 되자.

도덕 법칙이 별이 반짝이는 하늘처럼 자기 마음속에 빛나고 있다면 그 사람은 얼마나 멋진 사람일까?

사람이 도덕 법칙을 지키는 이유는 누구의 강요에 의해서도 아니고 어떤 이익을 바라서도 아니야.

자신을 이성적이고 도덕적인 존재로 여기기 때문에 도덕 법칙을 지키는 것이지.

양심이 있기 때문에 우리 인격도 쑥쑥 높아지지!

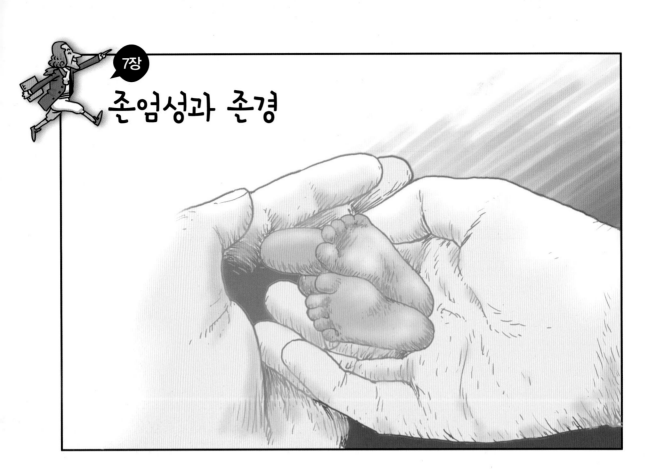

7장
존엄성과 존경

인간의 '존엄성'이란 무엇일까?

존엄성이 무엇인지 알려면 먼저 '존경'이란 개념부터 알아야 해.

칸트는 '존경이란 어떤 대상에 대해 가지는 감정이자 태도'라고 했어.

존경은 사람이 도덕 법칙에 대해 품는 감정이야.

도덕 법칙

사람은 신성한 도덕 법칙이나 자유의 주체인 인격을 존경할 순 있지만

도덕 법칙

인격

사물을 존경한다고 말하지는 않아.

너희들을 좋아해, 하지만 존경하진 않아.

도덕 법칙을 존경하지 않는 사람은
도덕적 행위를 무시하지.

버려, 버려!

존경은 우리가 도덕적 행위를 하게
만드는 집행 원리라고 할 수 있어.

존경

존경할 수
없는 행동이군.

또한 존경은 옳고 그름을 판단하는
원리이기도 해서

타
라
랑
존경

칸트는 존경이 우리 행동의 뿌리가
된다고 했어.

행위

그러므로 우리가 하는 모든 행위는
존경에 기초를 두어야 하고

존경

그 행동이 옳은지 판정을 하려면 우선
그것이 존경하는 마음에서 비롯된
것인지를 기준으로 삼아야 한다고 했어.

존경

존경은 감정에서 우러나오지만
감정으로 끝나지 않아.

존경

감정

왜냐하면 존경이라고 하는 감정은
도덕 법칙이라는 지성적 근거를
갖기 때문이야.

도덕
법칙

꾸벅

존경하는 감정은 개인의 경험에
영향받지 않고도 가질 수 있어.

따라 와, 꽥꽥이.

꽥!
꽥!

그래서 칸트는 '존경은 이성적 존재자가
갖는 특별한 감정'이라고 말하지.

우리가 누군가를 존경한다고 할 때
그 사람 자체를 존경한다는 뜻이
아니야.

그 사람의 능력이나 조건을
존경하는 것도 아니야.

돈이 전부는
아니에요!

날
존경해라!

다만 우리는 그 사람이 가진
도덕 법칙을 존경하는 것이지.

보통 사람은 상황에 따라 의지가
바뀌거나 꺾이기 쉬운데

누군가 자기 자신을 우선하지 않는
높은 도덕 법칙을 가졌다면 그 점을
존경하는 거야.

나를 보호하자.

소인배.

약한 의지는 정언 명령으로 극복한다

인간의 의지는 유혹이나 충동에 흔들리기 쉽다는
한계가 있어. 이러한 의지의 한계를 어떻게 극복
할 수 있을까?

우선 도덕 법칙이 정언 명령으로
표상되어야 해.

정언 명령

'표상'이라는 말은 '추상적인
사물이나 개념을 구체적으로
생각하는 능력'을 말해.

추상

정언 명령으로 표상한다는 말은 사람의 의지를
도덕 법칙에 따르도록 한다는 뜻이야.

도덕 법칙

그렇다면 정언 명령으로 표상하는 방법은 무엇일까?

우선 도덕 법칙을
신성한 것으로 받아
들여야 해.

도
덕
법
칙

도덕 법칙이 신성하다는 점을 제대로 이해하고 받아들이지
않는다면 도덕 법칙을 정언 명령으로 받아들일 수 없어.

도덕 법칙

도덕 법칙의 신성함은
사람이 도덕적인 존재라는
점에 기초하기 때문에

도
덕
적
존
재

이를 부인하는 것은
사람다움을 부인하는 것과
같아.

도덕
법칙

사람이라면 신성한 도덕 법칙을 당연히 존경해야 해.

칸트는 사람에게는 도덕 법칙을 존경하는 마음이 있기 때문에 자신이 도달해야 하는 실천적 이념을 잘 이해하고 이에 맞게 행동한다고 했어.

실천적 이념

그리고 사람이라면 당연히 이 능력을 가지고 있다고 했지.

예를 들어 도덕 법칙을 완벽하게 지키는 성자가 있다고 가정해 보자.

성자는 신성한 도덕 법칙에 알맞은 인격을 가지고 있으므로

보통 사람들은 성자를 깊이 존경하고

존경하는 마음을 표현하려고 노력할 거야.

제 재산을 기부하겠습니다.

존엄성은 절대 가치를 의미한다

존엄성과 존엄성을 지니고 있는 인격은 절대적 가치라고 할 수 있어.

칸트는 이성적 존재를 입법자, 즉 법을 세우는 사람이라고 하고

이성적 존재자들의 결합을 '목적의 나라'라고 불렀어.

목적의 나라

인간은 수단이 아니라 목적 그 자체임을 강조한 거야.

나는 나 자체로 가치가 있어.

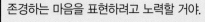

'목적의 나라'는 인격을 가진 인간들이 모여 있는 나라야.

목적의 나라는 도덕 법칙의 존엄성을 바탕으로 운영돼.

상품은 상황에 따라 같은 값의 다른 상품으로 대체될 수 있고

고장이 나거나 신상품이 나오면 버려지거나 새 상품과 맞바꿀 수 있어.

새 자전거다.

그러나 인격의 가치는 다른 무엇으로도 대체할 수 없어.

인격

도덕 법칙은 오래되었다는 이유로 다른 법칙으로 바뀔 수도 없고,

시간이 지나도 그 가치가 떨어지거나 존엄함이 사라지는 법도 없지.

또한 상품의 가치는 상대적이어서

상황과 조건에 따라서 그 가치가 오르거나 떨어질 수 있지만

과잉 생산으로 사과 값 폭락

사람은 목적 그 자체이며 절대적 가치를 지니기 때문에

그 가치에 값을 매길 수도 없고 어떤 상황과 조건에서도 달라지지 않아.

이성적 존재인 사람은 목적의 나라에서 그 가치만으로 존중받아야 해.

사람은 목적의 나라에서 그 법칙에 스스로 복종하는 구성원이며,

자신이 복종할 법을 스스로 세운 입법자이기 때문이야.

인간 스스로 법을 만들고 스스로 복종한다는 것은

오직 자신의 의지로 복종한다는 뜻이야.

난 이 상황을 이겨 내고 살 수 있다!

나는 목적의 나라에서 복종하는 사람인 동시에 최고의 지배자야!

존엄성은 자율성에서 나온다

인간이 존엄한 이유는 무엇일까? 자기 스스로 법칙을 수립하고 지키는 능력인 자율성을 가졌기 때문이야.

칸트는 존엄성의 조건으로 이성과 자율성, 도덕성을 꼽았지.

그가 주장하는 인간의 존엄성은 '사람은 누구나 같은 존엄성을 가졌다.'는 말로 표현할 수 있어.

존엄성은 보편적이면서 평등하지.

중세 시대만 해도 인간은 신의 형상을 본떠 창조되었기 때문에 존엄하다고 여겼어.

넌 나를 쏙 빼 닮았어.

오!

이러한 주장을 한 대표적인 철학자가 아퀴나스야.

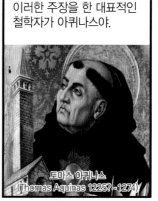

토마스 아퀴나스 (Thomas Aquinas 1225?~1274)

칸트는 왜 존엄성이 자율성과 관계가 깊다고 했을까?

사람은 스스로 다른 사람과의 관계를 생각하고 이에 맞는 방식으로 도덕 법칙을 만들어.

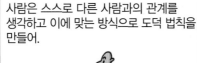

이러한 특성을 '자율성'이라고 하지.

자율성은 인간 존엄성의 기본 조건이야.

칸트는 인간이 존엄성을 가지는 이유는 이성적 존재이기 때문이라고 강조했어.

인간과 동물을 비교해 보면 그 말의 의미를 알 수 있어.

동물은 본능과 욕구에 따라서 움직여.

까아아악!

또한 다른 동물을 배려하거나 존경할 줄 모르지.

꿀꿀.

힘이 센 상대를 만나면 두려움을 느끼고 상대에게 복종하고

크르르!

힘이 약한 상대에게는 함부로 대해.

끼갱

반면 인간은 자신의 감정과 행위에 대해 끊임없이 성찰하고,

전쟁이 과연 옳은 일일까?

옳고 그름에 대해 물음을 던지며 반성할 줄 아는 존재야.

이 땅에 평화를!

그리고 옳다고 생각하는 것을 도덕 법칙으로 정하고 그 법칙에 따르려고 노력해.

이러한 이유로 칸트는 존엄성의 조건 중 가장 중요한 것을 이성이라고 생각했어.

사람은 단지 법을 만드는 능력이 있어서 존엄성을 가지는 게 아니야.

스스로 세운 법칙에 복종하고 그 법칙에 따라 행동해야 비로소 존엄성을 가진 존재라고 할 수 있지.

스스로 옳은 것을 찾아서 법칙으로 세우고 이를 행동으로 옮기기 위한 의지를 가진 존재, 그것이 바로 인간이야.

그래서 인간은 절대적으로 존엄한 존재라고 할 수 있어.

실천 이성에서 도덕성은 왜 중요할까?

도덕적이지 않은 사람에게도 존엄성이 있을까?

자신에게 주어진 의무를 저버리거나 소홀하게 여기는 사람이 있다고 생각해 보자.

도덕적이지 않은 행동을 한다는 것은 자기 스스로 이성적 존재가 아님을 증명하는 거야.

사람이라면 마땅히 가져야 할 인간성, 즉 존엄성의 가치를 잃었다고 볼 수 있어.

도덕적이지 않은 사람에게도 존엄성이 있을까, 없을까를 판단할 때는 매우 신중해야 해.

잘못된 행동 하나만으로 그 사람이 도덕성을 전부 잃었다고 판단할 수는 없기 때문이야.

악한 사람의 존엄성을 함부로 부인해서도 안 돼.

살인자를 처벌하는 경우에도 그 사람의 인간성은 존중받아야 하지.

이 말은 살인자의 처벌을 수단으로 삼아서는 안 된다는 거야.

살인자를 처벌하는 목적이 시민들을 교화하고 경고하는 데 있다면 그것은 처벌이 수단이 된다는 뜻이야.

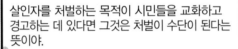

죄를 짓지 말자. 무서워.

그 누구도 다른 사람에 대한 존엄성을 무시할 수는 없어.

칸트는 인간의 존엄성은 권리일 뿐만 아니라 의무라고 했어.

그러므로 인간의 존엄성에 대한 권리만 주장하고 의무를 모른 척해서는 안 된다고 했지.

권리 존엄성 의무

사람은 자신의 존엄성에 대해 책임을 져야 한다고 강조한 거야.

인간의 존엄성은 인간으로서 무조건적으로 누리는 특권이 아니라 인간 스스로 도덕적으로 조절하고 통제함으로써 가지는 특별한 권리야.

자기 본능에 따른 욕구를 이겨내고 도덕성을 지킬 수 있는 인간만이 가지는 고유한 특성, 그것이 존엄성이지.

사람은 본래 목적이다

사람을 수단으로 대하지 말고 목적으로 대해야 한다는 말 기억하지?

목적으로 대하라는 건 사람 그 자체로 보라는 것!

내가 상대를 수단으로 대한다면 상대도 나를 수단으로 대할 거야.

훗. 뜀뛰기 하고 싶어서 부른 줄도 모르고…

내가 뜀뛰기를 하고 싶어서 널 부른 거야.

우리는 다른 사람들을 목적으로 대하기 이전에

자기 자신을 목적으로 대해야 하지.

사람을 존중한다는 것은 그 사람의 존재를 존중한다는 뜻이지, 그의 행위를 존중한다는 뜻이 아니야.

도덕 법칙을 배울 때 말했지?

우리는 그 사람의 행위가 내 마음에 든다고 해서 그 사람을 존중한다고 말하지는 않아.

인격

어떤 사람의 행위가 나를 불행하게 만든다 해도

끼이익

나는 그 사람을 목적으로 대해야 할 의무가 있어.

인격은 목적 그 자체이므로 그 사람이 나에게 필요한지를 따지며 비교하는 일은

인간을 수단으로 대하는 것과 같아.

누군가의 생명을 물건처럼 취급하거나

다른 목적을 위한 수단으로 보는 '인간성 경시'는 어떤 경우라도 잘못된 일이야.

자살이나 살인은 인간성을 업신여기는 생각에서 나오는 행위야.

인간성을 훼손하거나 파괴해서 얻은 이익은 어떤 경우라도 정당화될 수 없어.

한 사람의 존엄성은 여러 사람의 존엄성과 같은 가치를 지녀.

예를 들어 불이 났을 때 소방관은 사람의 가치를 판단해서 구하는 순서를 정하지는 않아.

모든 생명은 소중해.

어떤 사람의 존엄성이 다른 사람의 존엄성보다 더 가치 있으니까 그 사람을 먼저 구하자고 판단할 수 없다는 말이야.

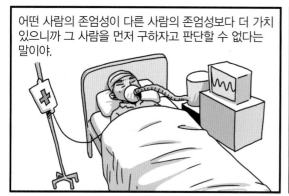

내가 어떤 사람의 인격을 존중하는 이유가 그 사람의 행위가 내 마음에 들기 때문은 아니니까.

존엄성 앞에서 인간은 누구나 평등해.

인간의 존엄성은 남을 배척하는 우월성을 멀리하고

인간 상호 간의 권리와 의무에 있어서 평등하다는 생각에 기초하지.

권리

의무

이기적인 생각을 버리고 타인을 목적으로 대하는 평등주의로 나아가야 한다는 점을 기억하자.

8장

최고선이란 무엇일까?

최고선은 살아가면서 이뤄야 할 가장 좋은 것이다

최고선(最高善)은 고대 그리스 시대부터 많은 철학자들이 다루어 온 중요한 주제야.

고대 그리스의 철학자 아리스토텔레스는 최고선을 '행복'이라고 말했어.

진정한 행복은 무엇일까?

아리스토텔레스
(Aristoteles 기원전 384~기원전 322)

행복을 인간이 살아가면서 도달해야 할 최고의 목적으로 둔 거야.

아리스토텔레스가 말하는 행복은 오늘날 우리가 생각하는 행복과는 좀 거리가 있어.

21세기를 살아가는 오늘날에는 많은 사람들이 개인의 만족과 쾌락을 추구하는 것을 행복이라고 생각하는 것 같아.

실컷 놀자.

이게 행복이지!

아리스토텔레스는 '영혼의 활동'을 매우 중요하게 여겼는데,

여기서 영혼의 활동이란 도덕을 따르는 최고의 정신 활동을 말해.

도덕

곧 행복은 영혼의 활동이라고 할 수 있지.

그러다가 중세 시대에 들어서면서 행복에 대한 개념이 많이 달라졌어.

행복

기독교 신학이 철학보다 위에 있었던 당시에는

최고선이란 성경에 나오는 신을 가리키며

선

성 경

신의 뜻에 따라 사는 것이 가장 좋은 삶이라고 가르쳤어.

최고선에 대해 많은 연구를 했어.

선

이와 달리 칸트는 최고선이란 인간이 추구해야 할 최고의 목적이라고 생각했어.

그리고 개인의 행복이나 쾌락은 최고선이 될 수 없다고 보았지.

최고선

개인..

인간이 개인의 행복과 쾌락을 추구하다 보면 윤리적인 삶을 살아가기가 어렵기 때문이야.

술 가져 와!

사람은 이중적이고 유한한 존재야.

자연법칙에 따라 본능적으로 살기도 하지만

이성을 가지고 스스로 의지를 세우고 판단해 살아가는 존재이기도 하지.

사람은 살아가면서 자신의 즐거움과 쾌락을 추구하려고 노력하지만

즐거움이나 쾌락은 주변의 환경에 따라 수시로 변하므로 최고선이 될 수 없다는 것도 알아.

최고선은 사람에게 가장 좋은 목적과 이상이어야 해.

행복은 어떤 행위의 결과로서 나타나지.

사람은 중간 과정을 거치지 않고 바로 행복을 얻을 수는 없어.

예를 들어 불가능하다고 생각한 일에 도전해 성공하면 그때 우리는 큰 성취감을 얻을 거야.

그리고 그 성취감을 통해 행복을 느끼게 되지.

이처럼 행복에는 실천이 따라야 해.

그저 무엇인가를 안다고 해서 행복을 느끼는 것은 아니야.

그러므로 최고선은 인간 스스로 실현할 수 있는 것이라야 해.

최고선이란 도덕을 통해 실현하는 최고의 가치다

인간의 최고선은 누구나 수긍할 수 있는 보편적인 것이어야 해.

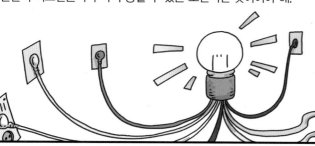

최고선은 도덕 행위를 통해서 우리가 느끼고 경험하는 감각의 세계를 더 나은 것으로 변화시켜 주고

우리를 더 나은 사람으로 만들어 주지.

이런 과정을 통해 우리는 자연법칙에만 따르지 않고 더 나은 도덕적인 존재로 성장할 수 있어.

이것이 최고선의 목적이야.

인간은 본질적으로 어떤 목적을 세우고 실천해 나가는 특성이 있어.

만약 달성할 수 없는 것을 목적으로 한다면 그것은 공허한 망상에 불과할 거야.

물속에서는 오래 못 버틸 텐데….

최고선은 선한 의지를 전제로 하는 실천적인 목적이라고 할 수 있어.

최고선을 얻으려면 무엇보다도 선한 것을 실현하려는 선의지가 가장 중요해.

칸트는 좋은 일을 하려는 의지를 '실천 이성'이라고 정의했어.

깨끗하게 씻겨 줄게.

또한 실천 이성을 통해서 보편적인 법칙과 일치하는 이상적인 세계가 실현된다고 주장했어.

이 세계가 바로 '목적의 나라'야.

목적의 나라는 각각의 이성적 존재들이 정언 명령에 따라서 체계적으로 움직이는 지성의 세계야.

이론으로만 존재하는 상상의 나라가 아니라 실천을 통해서 실현할 수 있는 나라이지.

사람은 목적이 있을 때 자연법칙을 따르려는 본성을 극복할 수 있어.

예를 들어 어떤 사람이 훌륭한 일을 이루기 위해 자신의 생명을 바치는 것은 자연법칙에 어긋나는 일이야.

자연법칙은 나 자신을 보호하고 자신의 행복을 추구하려는 경향이 있기 때문이지.

하지만 목적이 있다면 이야기가 달라져. 자신의 생명을 바치는 일을 숭고하게 여길 수 있어.

인간은 실천을 통해서 이념을 가능한 현실로 만드는 타고난 능력이 있어.

그 능력을 바탕으로 어떤 목표를 정하면 실천 계획을 세우고 행동으로 옮기지.

성공!

아무리 좋은 계획을 세워도 그것을 행동으로 옮기지 않으면 아무런 의미가 없어.

할아버지, 물 가져왔어요.

고맙다.

실천을 해서 실제 행동으로 보여 줘야 좋은 일이라고 할 수 있어.

시원하시죠? 할아버지.

헐헐, 그래.

아무리 가치 있는 이념이라도 생각에 그친다면

그 또한 진정한 의미의 이념이라고 할 수 없어.

이념을 실천에 옮겼을 때라야 비로소 그 가치를 확인할 수 있지.

실천 이성은 최고선의 세계를 목적으로 삼았을 때 현실을 개혁하고 변화시킬 수 있어.

최고선은 실천 이성이 바라는 가장 현실적인 목적이 되는 셈이지.

최고선은 덕과 행복을 종합한 이념의 세계이다

도덕적인 삶을 실현하는 것이 최고선이라는 말을 기억하지?

최고선을 실현하기 위해서는 도덕적 의무와 더불어

행복을 추구하는 것도 중요해.

칸트는 도덕적인 삶을 살기 위해서 행복을 포기하는 것을 원하지 않았어.

사람이 행복을 추구하는 것 또한 자연스럽고 당연한 일이라고 여겼지.

그렇다고 자연적인 본성에 따라서 행복을 추구하라는 뜻은 아니야.

첫눈에 반했어. 결혼해 줘!

난 싫어!

사람은 목적을 세우고, 옳고 그름을 판단할 능력이 있고

기차표

영차!

좋은 일을 행동에 옮기려는 의지와 능력 또한 있어.

집에 데려다 줄게.

그 능력을 바탕으로 자신을 발전시키고 더 나은 세계를 만들기 위해 노력하지.

글로벌 시대를 준비하자

도덕 법칙을 실현하는 일이나 완전한 행복을 얻는 일이 인간의 진정한 목적이 될 수 없지만

도덕 법칙

행복

인간의 목적

도덕 법칙을 완성하고, 더불어 최상의 행복도 함께 얻을 때 인간은 최고선을 이룰 수 있지.

최고선

최고선은 도덕과 행복이 결합된 세계로,

최고선

도덕

행복

행복은 도덕의 결과로 나타나.

도덕

행복

칸트는 도덕 법칙을 완성하려면 우리 스스로 꾸준히 노력해야 한다고 했어.

이것이 사람의 의무야.

도덕 법칙을 향해

도덕 법칙을 실현해 갈수록 행복은 도덕과 결합하고 최고선이라고 하는 궁극적 목적에 다다르게 되지.

인간의 행복은 사람의 도덕적 노력으로 얻을 수 있어.

도덕적 노력에 의해 이성의 목적과 자연의 목적이 필연적으로 결합될 수 있으며,

그 과정에서 행복이 자연스럽게 실현되지.

결론적으로 칸트가 주장하는 최고선이란 도덕 법칙을 실현해 행복한 삶을 추구하는 것이야.

칸트는 최상의 도덕과 행복이 일치하고

정확하게 비례할 때 최고선이 실현된다고 했어.

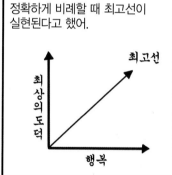

최고선은 도덕과 자연을 조화롭게 만들어 최고의 통일을 만들어 내기 때문이지.

모든 사람이 완벽하게 행복하지만 도덕이 없는 세계는 최고선이 아니야.

나쁜 수단으로 행복을 얻거나 올바르지 못한 것을 목적으로 삼아 행복을 바란다면 그것을 진정한 행복이라 할 수 있을까?

다른 사람을 고통스럽게 해서 행복을 느낀다면 이것 또한 행복이라고 말할 수 있을까? 둘 다 최고선이라고 할 수 없을 거야.

반대로 모든 사람이 완벽하게 도덕 법칙에 따라 살지만 행복이 없는 세계도 최고선이라고 할 수 없지.

치이~

도덕 법칙을 따르기만 하고 행복을 느끼지 못하는 삶은 공허할 거야.

절차탁마의 뜻은?

모르겠어요.

완벽하게 도덕적인 세계에 살아도 그곳에 삶의 기쁨이나 즐거움이 없다면 도덕 법칙은 큰 의미가 없다는 말이야.

최고선의 이념은 희망의 세계이다

이념은 실천 이성을 통해 깨달을 수 있는 개념이기 때문에

이념

사람의 경험만으로는 알 수 없어.

그러나 우리에게 현실에서 어떤 행동을 해야 하며, 어떤 경험을 하게 될 것인지를 알려 줘.

이념

즉 경험의 방향을 제시해 주지.

경험

이쪽으로 가야겠네.

칸트 이전의 철학자들은 이론을 세우면 이념의 세계를 이해할 수 있다고 여겼어.

이념의 세계

이론

그러나 칸트는 이들의 주장을 비판하면서

콰앙

이념

실천

이념은 실천을 통해 구체적인 현실로 다가올 수 있다고 했어.

이념

최고선의 이념도 마찬가지야.

이념

우리가 실천의 방향을 정하고 행동하면

최고선의 이념이 실제로 실현될 수 있다고 했지.

최고선은 우리에게 희망의 세계야.

칸트는 최고선을 통해 윤리적인 공동체를 이루기를 열망했고

최고선을 실현하기 위해서는 신의 존재가 필요하다고 여겼어.

사람은 불완전하며 유한한 존재이므로 스스로의 의지만으로 최고선을 실현하기 어렵다고 보았기 때문이야.

만일 최고선을 실현할 수 없다면 도덕 법칙은 쓸모가 없어지고

사람들은 도덕 법칙을 지킬 필요가 없다고 생각하게 될 거야.

칸트에게 있어서 전능한 신의 존재는

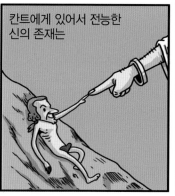

자신의 도덕 철학을 완성시키는 데 꼭 필요한 개념이야.

그는 최고선의 이념은 인간의 인격이 발달하고 역사가 진보하는 데 반드시 필요하며

최고선의 목적이 자연과 도덕을 조화롭게 만드는 것이므로 신의 존재가 꼭 전제되어야 한다고 생각했어.

또한 최고선이 반드시 실현되려면

인간의 영혼은 불멸해야 한다고 주장했지.

최고선을 추구하는 인간은 어떤 존재인가?

인간은 이성을 가지고 있고, 목적을 정할 수 있으며

자신이 정한 목적을 실현할 수 있는 존재야.

지구에서 이러한 능력을 지닌 존재는 인간이 유일해.

이러한 이유로 칸트는 인간을 '자연의 주인'이라고 생각했어.

'인간이란 어떤 존재인가?'에 대해 많은 연구를 한 칸트는

다음 세 가지 질문을 통해서 인간을 설명하려고 했지.

첫째, 우리는 무엇을 알 수 있는가?

둘째, 우리는 무엇을 해야 하는가?

셋째, 우리는 무엇을 바랄 수 있는가?

칸트는 세 가지 물음에 대한 답을 구하다 보면 인간의 특징을 알 수 있다고 생각했어.

그중 마지막 질문인 '우리는 무엇을 바랄 수 있는가?'에 대한 답은 최고선과 가장 밀접한 관련이 있어.

우리가 희망하는 세계에 대한 생각을 담고 있기 때문이야.

'우리가 무엇을 희망한다.'고 할 때 이 말은 다음 질문으로 바꿔 생각해 볼 수 있어.

바로 '우리는 무엇을 희망할 수 있는가?', '우리는 무엇을 희망해야 옳은가?', '우리는 무엇을 희망해야 하는가?'라는 질문이야.

'우리는 무엇을 희망할 수 있는가?'라는 질문은 행복의 필요조건으로서의 희망을 묻고 있어.

우리는 무엇을 희망할 수 있는가?

희망호

이것은 권리로서의 희망을 뜻해.

우리가 희망할 수 있는 다양한 요소들이 우리의 권리일 수도 있음을 알려 주지.

'우리는 무엇을 희망해야 옳은가?'라는 질문은 희망의 도덕적인 면을 묻고 있어.

우리가 어떤 조건이나 제약 없이 모든 것을 갖기를 희망한다면

그 희망은 도덕 법칙과 갈등을 겪게 될 거야.

그릇된 희망을 갖지 않고, 올바른 희망을 자기 내면에 세울 때

우리는 희망에 대한 도덕적 선의를 판단할 수 있어.

그런 점에서 이 질문은 희망에 대한 도덕적 의무론을 강조하고 있어.

여기서 '도덕적 의무'란 윤리적으로 권장하지만

강제하지는 않는 의무를 말하지.

희망하는 것이 '윤리적 선함'에 비추어 볼 때 부끄럽거나 후회되지 않도록 스스로 반성하고,

꼭 필요한 도덕적 요소를 의무적으로 세워야 한다는 뜻이기도 하지.

사람은 희망을 가지고 실천적인 행위를 할 때 최고선을 실현할 수 있으니까 말이야.

최고선은 '자유'를 통해 얻을 수 있어.

우리 스스로 이 세계에 실현할 수 있는 최고선을 궁극적인 목적으로 삼길 바라. 이 말은 '우리는 무엇을 희망해야 하는가?' 라는 질문의 답이기도 해.

자유는 도덕 법칙의 근거이다

자유는 칸트의 철학에서 정말 중요한 개념이야.

칸트는 자유의 개념을 '사람은 이성을 바탕으로 생각하고 행동할 수 있는 존재이다.'라는 말의 근거로 삼았어.

'모든 사람은 존엄하다.'라는 생각의 중심에는 사람의 도덕성이 있고

도덕성이란 도덕 법칙을 존중해 자발적으로 도덕을 지키는 것이야.

도덕성

도덕성은 자유를 전제로 해.

도덕

칸트는 "사람은 도덕 법칙이 아니었다면 잘 알지 못했을 자유를 자신 안에서 스스로 인식한다."고 말했어.

여기서 칸트가 말하는 자유에는 여러 가지 의미가 포함되어 있어.

어떤 의미인지 살펴볼까?

첫째, 사람의 주체적 자유는 사고의 자발성에서 시작한다

일반적으로 사람은 어떤 행위를 하기 전에 생각해.

그녀가 내 마음을 받아 줄까?

사고의 주체자로서 자발적으로 정신 활동을 하는 거야.

누가 가르쳐 주지 않아도

스스로 사고 활동을 하지.

칸트는 이러한 자발성을 자유의 특징으로 보았어.

순수한 사고의 주체자는 경험을 초월한 초감성적 존재자이며 예지자라고 할 수 있어.

사고의 자발성을 특징으로 한 자유는 '의지의 자유'와 '실천의 자유'의 뿌리가 되지.

우리가 어떤 생각을 하고 그 생각을 행동으로 옮기는 것은 다음 단계의 일이야.

사람은 자신이 생각한 것 전부를 실천에 옮기지는 않아.

모든 조건을 검토해서 행동으로 옮겨야 할 타당한 근거를 확실하게 찾았을 때 비로소 실천에 옮기지.

'사고의 자유'와 '실천의 자유'는 둘 다 '사고의 자발성'을 뿌리로 하지만 그 의미는 달라.

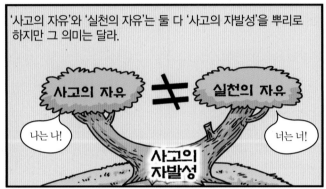

칸트는 우리가 사고의 자유에 머물지 말고 실천의 자유로 나아가기를 원했어.

둘째, 실천의 자유는 당위를 포함한다

'당위'란 '마땅히 해야 하거나 있어야 할 것'을 의미해.

'당위'를 조금 더 적극적으로 해석하면 '이미 있는 것에 그치지 않고 더 나은 방향으로 변화한다.'라는 의미가 있어.

그래서 칸트는 당위를 자각하는 것을 '의무 의식'이라고 부르고

실천의 자유에 당위의 뜻도 포함시켰지.

사람이 어떤 행동을 하기 위해서는 먼저 그 일을 하고자 하는 의지와 의욕이 있어야 해.

당위는 어떤 행동을 하기에 앞서 자신의 의욕이나 의지를 다시 한번 생각하고 돌아보게 해.

잠깐!

당위

즉, 자신이 바라는 목표와 그 기준이 정당한지를 생각해 보도록 하지.

당위

어미를 죽이면….

저 새끼들은 어쩌고?

꿀

꿀

….

이성을 가진 사람이라면 의지나 의욕이 감정에 치우친 건 아닌지 먼저 생각한 후에 실천하기 때문이야.

그러네.

내가 생각이 좀 짧았구나.

당위는 '당연히 그렇게 되어야 할 의무 의식'이기 때문에

당위가 내리는 명령은 우리가 어떤 사실을 있는 그대로 아는 것과는 달라.

실천적인 자유 의지로 선택을 하기 때문이야.

그러므로 실천의 자유는 당위를 포함해야 하지.

당위성

살다 보면 어떤 일을 후회하거나 '양심의 가책을 느낄 때가 있잖아? 그게 다 인간이 도덕 법칙에 구속되어 있기 때문이야.

도덕 법칙에 구속되어 있는 사람은 당위를 자각하게 되는데

이것이야말로 사람이 실천의 자유를 가지고 있다는 반증이야.

인간이 체험하고 수행하는 자유는 오로지 실천의 자유뿐이야.

자유에 기초하거나 자유로 가능한 것,

자유 의지에 관계하는 것은 모두 실천적이기 때문이야.

칸트는 자유가 실천 이성을 통해서 드러난다고 보았어.

그리고 실천의 자유를 설명하기 위해서 또 다른 개념의 자유를 도입했는데

이번엔 어떤 자유를 넣을까?

실천적 자유

바로 '초월론적 자유'야.

우리가 살고 있는 세계와 우주의 탄생 비밀을 정확하게 알거나 설명할 수 있는 사람은 없을 거야.

그래서 칸트는 우리가 사는 세계와 우주가 탄생한 원리를 외부에서 찾지 않고

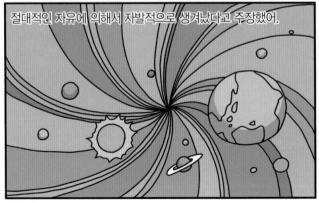

절대적인 자유에 의해서 자발적으로 생겨났다고 주장했어.

그중에서 '초월론적 자유'가 자연 현상을 탄생시킨 제1 원인이라고 보았어.

초월론적 자유는 사람들의 경험적 사건을 초월해.

또한 시간을 초월하기 때문에 시간 속에 있는 모든 사건을 시작하게 하는 근원적인 활동 능력이야.

칸트 이전의 학자들은 우리가 사는 세계와 우주가 탄생한 원인을 신에서 찾았어.

지구여, 생겨라.

그러나 칸트는 기존의 이론을 뒤엎고 초월론적 자유라는 개념을 내세워 새로운 우주관을 펼쳤어.

초월론적 자유

그는 초월론적 자유가 실천적 자유의 근거라고 믿고

실천적 자유

초월론적 자유

초월론적 자유가 없다면

타임머신

시공간을 초월하자!

자유는 생각조차 할 수 없다고 주장했어.

그러니까 실천적 자유는 반드시 필요하지.

칸트는 자유 의지를 가진 사람을 도덕 세계의 주체로 변화시켰어.

도덕

인간은 이성과 자유 의지를 가진 유일한 존재이고

선택의 자유

의지

이성

이러한 자유는 초월론적 자유의 자발성에 뿌리를 두고 있기 때문이야.

셋째, 실천적 자유의 본질은 선택의 자유이다

실천적 자유는 선택의 자유야.

내가 어떤 행동을 할지, 무엇을 실천할지를 결정하는 것은 나 자신의 자유 의지에 달려 있어.

내가 자유롭게 선택한다는 것은 내 마음이 가는대로 선택한다는 뜻이 아니야.

스스로 주체가 되어서 결정한다는 뜻이지.

어떤 일의 주체가 된다는 것은 자율적인 존재로서 행동한다는 것을 말해.

칸트는 자유를 소극적 자유와 적극적 자유로 나누어 생각했어.

일반적으로 말하는 '～로부터의 자유'는

소극적이고 수동적인 자유야.

칸트는 여기서 한 걸음 더 나아가 '～을 위한 자유', 즉 적극적인 자유를 '자율'이라고 했어.

자유란 자연적인 욕구를 충족하는 것이 아니라

맘껏 먹을 수 있는 자유.

인간이 보편적으로 가지고 있는 의무를 따르는 것이라고 보았지.

그래서 칸트가 말하는 자유는 곧 자율과 같다고 할 수 있어.

자율은 곧 선택의 자유를 의미해.

뭘 먹지?

또한 선택의 자유는 실천적 자유의 본질이야.

선택

감각이 중심이 되는 경험의 세계에는 선택의 자유가 없어.

왜냐하면 경험의 세계는 인과적 법칙이 지배하고 있기 때문이야.

인과적 법칙이란 원인과 결과가 있는 법칙이라는 뜻이야.

칸트가 말하는 자율은 단순히 우리가 자신의 욕구나 어떤 것에 끌리는 대로 행동하는 것이 아니야.

욕구란 이성적으로 사고해서 선택하는 것이 아니기 때문에

배고파!

나 무섭다!

감정이나 충동에 따라 선택하는 것은 자율이라고 할 수 없어.

당장 나와! 한판 붙자.

예를 들어 우리가 공중에 던진 돌이 땅에 떨어졌다고 해서 그것을 돌의 자유라고 말하지 않아.

왜?

돌은 중력에 의해 땅으로 떨어졌을 뿐이야.

중력이 날 잡아당겨.

중력

자신의 의지로 땅에 떨어진 것이 아니지.

떨어지려고 하지 않았는데!

칸트는 돌이 땅에 떨어지듯이 자연적 욕구에서 비롯된 것,

즉 스스로 선택하지 않는 것을 '끌림 동기'라고 했어.

끌림 동기

그러므로 끌림 동기는 타율에 의해서 생긴다고 할 수 있겠지?

한번 더 저쪽으로 끌림동기 해 줘. 응?

싫어.

넷째, 자유는 의무 동기에 따른다

끌림 동기와 반대되는 개념은 '의무 동기'야.

이성의 명령으로 생기는 동기야.

의무 동기는 이기심이나 순간적인 욕망 등에 의해 생기는 것이 아니라

순수하게 도덕적으로 올바른 이유에서 생겨.

의무 동기

도덕

예를 들어서 설명해 볼게.

난 퀴즈의 달인!

어떤 소년이 알파벳 철자 맞히기 대회에서 우승을 했어.

영어 단어의 달인

그런데 알고 보니 소년이 말한 철자를 심판이 잘못 알아들어서 소년이 우승자로 결정된 거야.

L.E.N.D(땅)

정답!

소년은 용감하게 자신이 철자를 틀렸다고 고백하고 우승자 자리에서 물러났지.

L.A.N.D가 정답인데 L.E.N.D라고 말했어요.

용감하군요.

나중에 소년은 인터뷰에서 이렇게 말했어.

왜 자신의 잘못을 고백했나요?

치사한 사람이 되고 싶지 않았어요.

칸트는 이 소년을 어떻게 생각할까?

아마 소년을 크게 칭찬했을 거야.

끌림 동기 대신에 의무 동기에 따라 행동하다니 훌륭해!

누, 누구세요?

칸트는 실천의 자유를 구속하는 것은 오직 도덕 법칙뿐이라고 하면서

실천의 자유

도덕 법칙

우리가 이성적인 존재로서 '스스로 만든 도덕 법칙에 따라 행동하는 것이 자유로운 것'이라고 믿었어.

도 덕 법 칙

또한 목적의 주체인 '이성적인 존재'가 모든 행동 원리의 근거가 되어야 한다고도 했는데

오직 이성적인 존재만이 자율 의지의 주체가 될 수 있기 때문이야.

이성 자율 의지

우리는 자율 의지의 주체가 될 때 자신을 감각적인 존재보다 더 높은 존재로 만들 수 있고

펄럭

완전히 독립적이고 이상적인 영역으로 나아갈 수 있어.

여기서 우리가 알아야 할 중요한 사실이 하나 있어.

의지를 갖고 실천하는 사람은 더 이상 평범한 인간이 아니라는 점이야.

자율 의지의 주체인 우리는 실천 이성을 따르는 데 적극적으로 참여하는 존재로,

자연 상황이나 개인의 경험에 영향을 받지 않아.

자연 상황
개인 경험

다섯째, 자유롭기 때문에 최고선을 실현할 수 있다

자유란 사람이 스스로 목표로 삼은 상태에 도달할 수 있는 능력을 말해.

자유

사람은 스스로 자연법칙을 만들 수는 없지만 자유롭게 행동할 수는 있어.

야호!

그러므로 자유는 자연 상태나 인간의 성향을 넘어서서 보편적인 선을 추구할 수 있어.

보편적 선

만약 자유에 대한 강력한 의지가 없다면 사람은 도덕적 행동을 할 수 없고 도덕 법칙과 가치를 실천할 수도 없을 거야.

자유

자유를 실현하는 능력은 이성에서 나와.

이성

사람이라면 누구나 도덕 법칙을 지키려는 의무감을 가지며, 이를 실천하려고 노력하지.

생명을 소중히 여겨야 해.

사람은 이성적인 존재로서 가치 있는 이념들을 실현하려고 노력하기 때문이야.

소외된 이웃을 도와요.

칸트는 이런 이성적 존재를 다른 말로 '예지적 존재'라고 했어.

예지적 존재는 자연적인 충동이나 개인의 경험을 경계하고

난 이성적이니까.

이성으로 이념들을 따져 보고, 실천할 수 있도록 규칙을 정하고, 그 규칙에 따르도록 자신에게 명령을 내려.

이러한 과정을 거친 사람은 스스로 정한 도덕 법칙의 주체로서 현실을 변화시키고

최고의 도덕성을 실현할 수 있는 존재로 나아가지.

여섯째, 자유는 하나의 요청이며 도덕법의 근거이다

칸트의 비판 철학의 핵심은 자유야.

그래서 칸트는 '실천 이성은 자유를 요청한다.'라는 표현을 사용했어.

도와줘.

자유라는 개념은 증명하기 어렵지만, 자유라는 개념이 없다면 칸트의 정언 명령과 실천 이성 비판 철학은 근거를 잃게 돼.

칸트가 자유를 정언 명령과 실천 이성의 전제로 삼은 까닭은 자유를 이성적으로 확신하기 때문이야.

또한 '자유를 요청한다'는 말은 자유가 개인의 경험에 좌우되지 않고 순수한 이성으로 알 수 있는 것이라는 의미를 담고 있어.

이성은 자신의 자발적 행동에 의해서 자유에 도달해.

곧 정상이다.

자유는 시간과 공간에 구속되지 않으며

이성 자신의 원리이자 이성을 있게 하는 원인이기도 하지.

자유는 경험으로 추리할 수도 없고 직접 느끼거나 파악할 수도 없어.

그래서 실천적인 행위와 반드시 연관될 수밖에 없어.

자유는 어떤 행위나 실천을 통해서 나타나기 때문에

칸트는 자유를 인식할 수 있는 근거로 도덕 법칙을 내세웠어.

도덕 법칙과 정언 명령은 '나는 이것을 해야만 한다.'라는 실천 명제에 바탕을 두고 있고,

우리는 개인의 의지를 뒤로 하고 이 명제에 조건 없이 따라야 해.

의지가 당위와 하나로 결합하는 거야.

예를 들어 볼까?

내 도움이 필요한 사람이 있다고 하자. 내가 이 사람을 득실을 따지지 않고 도와주는 것이 옳다고 생각했다면 그것은 이성적 자유의 판단에 의해서야.

아무도 그렇게 판단하라고 강요하지 않아.

나는 다만 이성의 명령에 따라 생각하고 하나의 행동 규칙으로 정해 실천하는 것뿐이지.

자유가 도덕 법칙의 근거이기 때문에 가능한 일이야.

자유는 인간 이성의 모든 체계를 만들 수 있는 기본적인 틀이라고 할 수 있어.

10장

순수 실천 이성의 방법론

순수 실천 이성의 방법이 중요한 이유

우리는 순수 실천 이성의 원칙들을 머릿속으로 이해하려고만 해서는 안 돼.

그 원칙들을 행동으로 보여 줄 때라야 진정한 의미가 있어.

학문을 배운다는 건 원칙에 합당한 방법을 배운다는 뜻이야.

칸트의 실천 이성에 관한 이론들도 마찬가지야.

그 방법을 이해하고, 실천 과정을 체계화하는 것이 중요해.

칸트는 이를 '순수 실천 이성의 원칙들이 인간의 마음속으로 들어갈 입구를 만들어 주는 것'이라고 말했어.

지금까지 이론으로 설명한 실천 이성을 스스로 실천할 수 있는 구체적인 방법을 알아내야 한다는 말이지.

이론적으로 아무리 옳고 좋아 보여도 그것이 의미가 있으려면

사람들의 마음을 설득해 행동으로 옮길 수 있는 강력한 동기가 필요해.

강력한 동기가 있어야 도덕 법칙에 대한 순수한 존경심도 생기지.

만약 강한 의지가 없다면 도덕 법칙을 계속 실천하고 지키기 어려워.

저 곳에 뭐가 있을까?

이런 점을 잘 알고 있던 칸트는

사람들에게 도덕 법칙을 잘 알고 준수하도록 아무리 강력하게 권고하고 또 권장하더라도,

도덕 법칙 자체가 사람들 마음의 도덕이 되지 않을 것이라고 했어.

만약 도덕 법칙이 마음의 도덕이 되지 않으면 어떤 일이 생길까?

모든 것이 위선처럼 느껴져서 경멸하게 될 거야.

그래도 난 사람들이 자신의 이익을 위해서 도덕 법칙을 지킬 거라고 믿어.

도덕 법칙은 도덕적 문답법으로 배운다

칸트는 "덕은 가르칠 수 있고, 가르쳐야 한다." 하고 말했어.

밑줄 좌악!

그는 특히 청소년 도덕 교육을 중요하게 여겨서

도덕 교육관

도덕 교육을 주입식으로 달달 암기해서 가르치는 방법에 반대하고

도덕

반드시 실제 사례들과 연계해서 가르쳐야 한다고 강조했어.

발로 뛰어서 배워야지.

칸트는 이러한 교육 방식을 '도덕적 문답법'이라고 불렀어.

이론 실제 사례

도덕적 문답법

청소년의 도덕 교육으로 그가 특히 추천한 방법은 위인의 전기를 읽는 거야.

이순신

위인의 전기에는 구체적인 실천 사례들이 많아 교육에 효과적이기 때문이야.

살고자 하면 죽을 것이오….

둥둥

감동이야!

특히 상황은 다르지만 비슷한 행위들을 비교하여 가르치면 학생들이 구체적으로 가치 판단을 할 수 있지.

그런 행위들이 도덕적으로 가치가 있는지 없는지를 스스로 인식할 수 있거든.

도덕

가치

칸트는 도덕 교육을 할 때 학생에게 함부로 칭찬하거나 비판하는 것을 경계했어.

선생님은 학생이 순수한 동기로 선행을 하면 칭찬을 하고,

순수하지 않는 동기로 선행을 하면 비판해야 한다고 했지.

이와 같은 방법으로 반복 학습을 한 학생은

칭찬

비판

정직한 행동을 하게 된다고 믿었어.

이것은?

제 도끼예요.

항상 실증적 교육을 강조한 칸트는

실제 사례를 통해서 청소년의 도덕적 판단력을 키우자고 주장했지.

그는 교육이 이룰 수 없는 소망이나 완전한 것을 동경하다 끝마치지 않기를 바랐어.

벽이 너무 높아.

소 망

도덕 교육의 실질적인 효과는 없고, 고작 소설에 나오는 영웅만 만들어 낼까 봐 걱정한 것이지.

칸트는 학자들이 장황한 글로 영웅의 위대함을 강조하고,

사소하고 평범한 일상에서 느껴야 할 책임의 중요성을 말하지 않는 점을 비판했어.

사소한 잘못이니

모른 척 하자.

몇 사람의 영웅보다 평범한 사람들이 일상생활에서 도덕적 의무를 행하면서 도덕적인 가치를 실현하는 것을 훨씬 중요하게 여긴 것이지.

우리가 주인이다.

도덕적 가치

칸트는 평범한 사람들의 도덕적 가치가 실현될 때 완전한 도덕성을 실현한 미래가 온다고 믿었어.

도덕성은 특정한 사람들만 가지는 탁월한 능력이 아니라

도덕성

사람이라면 누구나 실천할 수 있는 능력이기 때문이야.

도덕성

인류가 도덕적인 사회를 이루고 마침내 영원히 평화로운 세계를 건설하면

도덕성이 일상생활의 기초가 되어 사람들이 비로소 제대로 된 삶을 살 수 있다고 믿은 거지.

도덕성

칸트가 생각한 도덕 교육은 다음과 같아.

고결한 행위들을 지나치게 강조하여 아이들을 괴롭히지 말고,

모든 것에 순수한 마음으로 도덕적 의무감을 가지게 하고,

자기 자신의 눈으로 그 의무를 위반하지 않았다는 의식에서 나오는 가치를 느낄 수 있도록 해야 하지.

그의 말을 종합하면 순수한 윤리적인 태도를 기르는 데 목적을 두고 온 힘을 쏟았다는 것을 알 수 있어.

순수한 윤리적 태도란 어떤 것일까? 이를 알기 위해 칸트가 제안한 방법이 있어.

제안

선생님은 어린 학생에게 역사에서 실제로 있었던 사건을 들려주고,

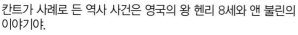

우아.

이 학생이 선생님의 가르침 없이 스스로 어떤 도덕적인 판단을 내리는지 관찰하지.

도덕

칸트가 사례로 든 역사 사건은 영국의 왕 헨리 8세와 앤 불린의 이야기야.

헨리8세
(Henry VIII, 1491~1547)

앤 불린
(Anne Boleyn, 1507?~1536)

헨리 8세는 왕비 캐서린의 시녀였던 앤 불린을 끔찍이 사랑했어.

앤 불린은 검은 머리에 까만 눈을 가진 매력적인 여성으로 교양이 높았고 화술도 뛰어났지.

프랑스에서 왕가의 예절을 익혔죠.

앤 불린에게 마음을 빼앗긴 헨리 8세는 그녀를 자기 곁에 두려고 했어.

야망이 컸던 앤 불린은 헨리 8세의 유혹을 뿌리치고

흥!

자신과 정식으로 결혼을 해 왕비로 삼으면 왕의 곁에 있겠다고 했지.

어때요?

앤 불린의 요구에 헨리 8세는 냉큼 결혼을 약속했단다.

대신 왕자를 꼭 낳아 줘.

헨리 8세는 왕비인 캐서린과의 이혼을 서둘렀으나 뜻을 이루지 못했어.

이혼

도장 찍어!

캐서린과 로마 교회가 종교적인 이유를 들어 끝까지 반대했거든.

No!

결혼은 신성한 의식이에요.

결국 헨리 8세는 영국의 교회를 로마 가톨릭에서 분리시켜서

스스로 영국 교회의 수장이 되고

하하

앤 불린과 정식으로 결혼을 했어.

임신한 상태였던 앤 불린은 그해에 소원대로 영국의 왕비 즉위식을 올리고

몇 달이 지나 딸 엘리자베스를 낳았어.

엘리자베스는 훗날 영국의 여왕이 되어 해가 지지 않는 대영 제국의 기틀을 다져.

엘리자베스1세
(Elizabeth Ⅰ, 1533~1603)

그러나 아들을 기대했던 헨리 8세는 실망이 컸어.

앤 불린이 잇달아 유산을 하면서 점차 마음이 멀어진 헨리 8세는

이런….

호흑.

이번에는 앤 불린의 시녀에게 마음을 빼앗기지.

응

자신을 보호해 주던 왕이 돌아서면서 앤 불린은 온갖 죄를 뒤집어쓰고 런던탑에 갇혔어.

그녀의 죄목에는 마법으로 왕을 유혹했다는 혐의도 있었어.

시중에는 모든 일의 배후에 앤 불린을 쫓아내려는 헨리 8세가 있다는 소문도 돌았어.

결국 두 차례의 재판 끝에 앤 불린은 사형을 판결 받았어.

참수형에 처하노라.

사형 당일, 자신의 목을 겨누는 칼날 앞에서 앤 불린은

주님께 제 영혼을 맡깁니다.

왕에게는 아무 잘못이 없으니 충성을 다해 섬겨 달라는 말을 남기고 세상을 떠났단다.

칸트의 이야기는 이것으로 끝이 아니야. 헨리 8세가 음모를 꾸며 그녀의 목숨을 빼앗는 과정에

어쩔 수 없이 휩쓸리게 된 어떤 도덕심 깊은 사람의 이야기가 남아 있어.

잘 들어 봐. 이제부터가 중요해.

칸트가 전해 준 이야기는 다음과 같아.

도덕심 깊은 사람은 처음에는 앤 불린을 중상 모략하는 사람들의 유혹을 받지.

앤불린OUT!

우리 편이 되면 많은 재물과 높은 지위를 주겠소.

거절하오.

아무리 값진 보물을 준다 해도 난 도덕심에 어긋나는 짓은 하지 않겠소.

청렴

칸트는 선생님에게 이 이야기를 학생들에게 들려주고 나면

학생들이 도덕심 깊은 사람을 어떻게 판단하고

그 재물들이 아깝지 않았을까?

대단해.

생각이 어떻게 변하는지 살펴보라고 했어.

자신에게 돌아올 이익까지 포기하면서 옳지 않은 일에 가담하지 않은 도덕심 깊은 사람을 보면서 학생들은 어떤 생각이 들었을까?

부도덕

칸트는 학생들이 도덕심 깊은 사람에게 공감하고 큰 박수를 보낼 것이라고 예상했어.

저도 본받고 싶어요.

그 다음에 선생님은 좀 더 극적인 이야기를 준비해 학생들이 어떤 반응을 보이는지 관찰하지.

이렇게 얘기해 보세요.

흐음, 알겠어요.

그 뒷이야기도 있어. 도덕심이 깊은 사람은 온갖 방법으로 위협을 당했단다.

오~ 저런~

왕의 편에 선 권력자들이 도덕심이 깊은 사람을 헐뜯기 시작했고

도덕심이 깊은 사람의 주위에 있던 친구들도 그에게서 서서히 멀어졌어.

심지어 친척들은 상속권을 빼앗고

철그렁

도덕심이 깊은 사람과 가족들은 생명의 위협에 시달렸지.

아무리 정의감이 뛰어나고 도덕적인 사람이라도 더 이상 견디기 어려웠을 거야.

어떻게 해야 하지?

가족들까지 고통을 겪자 도덕심 깊은 사람은 미안한 마음이 커졌지.

나 때문에 가족까지…

그럼에도 불구하고 도덕심 깊은 사람은 왕의 편에 선 권력자들에 당당히 맞서서 자신의 뜻을 지켜.

그래도 앤 불린은 죄가 없소!

이 이야기를 들은 학생들은 어떤 생각을 하게 될까?

칸트는 학생들이 도덕심이 깊은 사람의 행동에 공감하는 것으로 그치지는 않을 거라고 예상했어.

그는 이렇게 말했지.

소년은 공감에서 경탄으로, 경탄에서 경이로,

마침내 최대의 경의를 표할 거야. 그리고 그 자신도 도덕심이 깊은 사람이 될 수 있기를 열망할 거야.

우리가 이 이야기에서 주목해야 할 점은 도덕심 깊은 사람의 행동에서 나타난 도덕의 숭고한 가치야.

그 사람이 가지고 있는 도덕의 가치는 이익을 바라는 마음에서 나오는 것이 아니야.

자신의 희생을 각오하면서까지 해야 할 일을 하겠다는 마음에서 나오지.

이야기를 들은 후에 자신도 이야기 속의 도덕심이 깊은 사람처럼 되겠다고 결심한 학생들은 바로 도덕적인 순수함을 갖게 되지.

도덕성과 윤리적 행동은 자신의 행복이나 어떤 보상을 계산하지 않고 순수한 동기에서 비롯되어야 하고, 이를 실천으로 옮길 때 가치가 있어.

이야기를 마친 칸트는 이렇게 정리했지.

자기의 행복으로 얻은 동기들을 뒤섞는 일은 모두 도덕 법칙이 인간의 마음에 영향을 미치는 데 방해물이 된다.

도덕 법칙을 준수하고

순수한 동기에서 선한 일을 하는 것이 결코 쉬운 일은 아니지만,

우리는 도덕 법칙을 반드시 따라야 해.

우리가 도덕 법칙을 지키는 이유는 법칙을 지키기 쉬워서가 아니야.

이성을 가진 존재이기 때문이지.

칸트는 행복이나 보상이 따르지 않아도

도덕적인 의무의 신성함으로 법을 지켜야 한다는 점을 학생들이 알아주기 바랐지.

교육자가 어린이에게 도덕성을 교육할 때 고결한 행위를 강조하거나 물질적인 보상을 강조한다면 그것은 도덕 교육의 근본 목적에 어긋나는 교육이라고 할 수 있어.

도덕적 문답은 스스로 이성을 사용하게끔 한다

칸트가 말하는 도덕적 문답법은 교사가 주로 혼자 설명하는 수업과는 달라.

서로 묻고 대답하는 대화식 학습법도 아니야.

사람은 훌륭한 인물을 모방한다고 도덕 법칙을 자신의 마음에 바로 새길 수 없고

도덕 법칙을 저절로 얻을 수도 없어.

사람은 도덕 법칙을 처음부터 갖추고 태어나지 않기 때문이지.

도덕 법칙은 실천 이성의 자율성에서 비롯돼.

칸트가 강조한 도덕적 문답법의 핵심은 이성을 사용한다는 점이야.

평범한 사람들의 이성을 토대로

우리 이성적으로 말해 보자!

스스로 생각하고 판단해서 도덕 법칙의 타당성을 이해하고 주체적으로 실천할 때

도덕 법칙은 우리 안에 자리 잡을 수 있어.

탑재 완료!

이런 의미에서 칸트는 '도덕은 실천 이성이다.'라고 힘주어 강조했지.

도덕은 실천 이성이다

칸트에 따르면 행동이 나쁜 학생에게 다른 착한 학생을 가리키면서 본받으라고 하는 것은 옳지 않은 방법이야.

애의 반만이라도 닮아 봐라, 이 녀석아!

비교를…

앗!

두고 보자. 희철이 너.

오히려 행동이 좋지 않은 학생의 문제를 더 악화시킨다고 했어.

야! 정희철.

교사는 행동이 나쁜 학생이 착한 학생을 본받길 바라는 마음에서 한 행동이지만 착한 학생은 증오의 대상이 되기 쉽고

너 때문에 혼났다.

퍽-

악!

착한 학생과 비교당한 문제 학생은 더욱 나쁜 학생으로 비춰질 수 있기 때문이야.

본보기

좋은 교육 방법은 다른 사람을 본보기로 삼지 않고

순수한 동기로 도덕적인 의무를 다하도록 이끄는 것이지.

할아버지.

시원하시죠?

헐헐. 손끝이 야무지구나.

교사는 행동이 나쁜 학생과 다른 사람을 비교하지 말고

착한 학생이 도덕 법칙을 왜, 어떻게, 얼마나 지켰느냐 하는 것을 문제 학생에게 이야기해 주어야 해.

쏴

드

즉, 착한 학생을 다른 학생의 본보기나 경고를 하기 위한 도구로 삼지 말라는 것이지.

그래서 도덕적 문답법을 진행할 때 '학생'에게 묻는 것이 아니라, '학생의 이성'에 물어야 한다고 했어.

구체적인 사례를 한번 살펴볼까?

칸트가 생각한 도덕 교육의 문답법은 다음과 같이 전개돼.

인생에서 너의 가장 큰 바람이 뭐니?

으음.

언제나 네가 소망하고 네가 바라는 대로 되는 것이겠지?

....

사람들은 그러한 상태를 뭐라고 할까?

그런 어려운 질문을 …

사람들은 그러한 상태를 행복이라고 불러.

만약 네가 세상에 있는 모든 행복을 가졌다고 상상해 보자.

행복

너는 그 행복을 네 자신을 위해 간직하고 싶니? 아니면 네 이웃과 함께 나누고 싶어?

저는 다른 사람들도 행복해지도록 제 것을 나누어 주겠어요.

심성이 착하구나.

이번에는 다른 질문을 해볼까?

아주 게으른 사람이 있다고 하자. 너라면 그에게 부드러운 방석을 주고 놀고 먹으며 인생을 헛되이 보내게 하겠니?

술주정뱅이에게 술이 떨어지지 않도록 계속 술을 채워 주겠니?

사기꾼에게 화술을 가르쳐 타인들을 속이도록 하겠니?

폭력배에게 강한 주먹과 배짱을 주어 주먹으로 타인을 억누르도록 하겠니?

…

지금 내가 말하는 것들은 그 사람들이 각자 가장 행복하다고 느끼고 소망하는 상황이란다.

아니오. 저는
그렇게 하지 않겠어요.

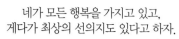

네가 모든 행복을 가지고 있고,
게다가 최상의 선의지도 있다고 하자.

너는 다른 사람이 나눠 달라고
손을 내민다고 해서 주저하지 않고
행복을 넘겨주지는 않을 거야.

먼저 각자 어느 정도까지
행복할 자격이나 가치가
있는지 조사하겠지?

하지만 네 자신의 행복을 얻으려고
할 때는 주저하지 않겠지?

그렇다면 다른 사람에게
적용하는 도덕 법칙을
자기 자신에게도
적용할 수 있을까?

예.

그때 너는 자신이 행복을 누릴 만한
자격이나 가치가 있는가 하는 의문이 들거야.

예.

네가 오직 행복을 얻으려고
애쓰는 것은 애착이라고 할 수 있어.

너의 애착을 제한시키는
것이 이성의 역할이야.

네가 자신의 이성을 통해
자기의 성향을 제한하거나 제압하는 것,
그것이 네 자유의 의지야.

아하!

행복에 대한 개인의 애착은 이성을 통해
제한할 수 있고, 이러한 결정을 내리는 것은
개인의 자유 의지라는 뜻이지.

그런데 말이야, 지금까지 말한 모든 가르침이
모두 네 이성에서 나왔다는 사실을 알고 있니?

네?

너는 행복을 누리기 위해서
필요한 규칙과 가르침을
다른 이들로부터 배울 필요가 없어.

왜요?

네 자신의 이성이 너에게
무엇을 해야 하는가를 가르쳐 주고,
명령을 하기 때문이지.

예컨대 네가 빈틈없이 꾸며 낸 거짓말로
친구들에게 큰 이익을 가져다 줄 수 있고,
게다가 그로 인해 어떤 해도 입지 않는
상황에 처한다면 네 이성은 뭐라고 말할까?

선생님, 저는
거짓말을 하지
않겠어요.

저나 제 친구들이
아무리 큰 이익을 얻는다고
해도 말이에요.

거짓말은 비열한 짓이고,
그렇게 해서 이익을 얻는다고 해도
행복하지 않을 거예요.

저는 저의 이성이 말하는 대로
따르겠어요.

처음에 대답을 잘 못 했던 학생이 드디어
스스로 이성 활동을 해서 중요한 사실을
말한 거야.

선생님은 학생의 깨달음을 간파하고 그 다음부터 한 걸음 더 발전된
문답법을 시작해.

네가 말한 것처럼 이성이 말하는 대로
그 법칙에 맞게 행위를 하는 것을
무엇이라고 할까?

의무라고 합니다.

인간이 자신의 의무를 준수하는 것은 행복을 누릴 품격의 보편적이고 유일한 조건이야.

행복을 누릴 품격을 갖추는 것과 의무를 준수하는 것은 같다고 할 수 있어.

우리의 선의지가 확실할 때 반드시 행복해질 수 있을까?

아니요.

그렇지 않다고 생각해요.

왜 그렇게 생각하니?

제가 원한다고 해서 언제나 행복해질 순 없잖아요.

행복은 결코 인간의 능력으로 조절될 수 없습니다.

칸트는 선생님의 지시나 명령으로는 학생이 도덕 법칙을 학습하고 실천에 옮길 수 없다는 점을 강조하고 있어.

도덕 법칙

문답법을 통해 학생 스스로 생각하고 판단을 내림으로써 도덕 법칙의 의미를 스스로 깨닫기를 바란 거야.

도덕 법칙

도덕적 의무를 아는 것은 영혼을 강하게 한다

우리는 문답론으로 모든 도덕과 악에 대해서도 배울 수 있어.

하지만 그 전에 주의해야 할 점이 있어.

도덕적 의무를 아는 것이 본인은 물론 타인에게 손해나 이익을 끼쳐서는 안 돼.

도덕적 의무를 아는 일은 전적으로 순수하게 윤리적 원리에 기초해야 해.

손해나 이익을 얻는 것은 다만 그에 따르는 부수적인 일일 뿐이지.

만약 우리의 행위에서 덕의 존엄이 없다면

의무라는 개념이 사라지고,

오직 훈계하기 위한 지시 사항만 남게 될 거야.

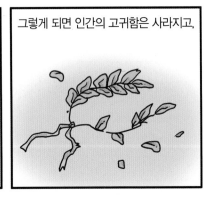

그렇게 되면 인간의 고귀함은 사라지고,

개개인이 상품처럼 취급되겠지?

문답법은 사람의 연령, 성별, 신분에 따라 각각 다르게 적용돼야 해.

그렇게 하면 사람은 자신의 영혼을 지극히 높은 곳에 있는 경탄의 대상으로 바라볼 거야.

칸트는 도덕 교육과 문답법의 중요성을 다음과 같이 정리했어.

문답법으로 도덕 교육을 훌륭하게 마쳤다면 인간은 그 어떤 경우에도 도덕 법칙에 대한 의무감을 잃지 않게 돼.

자신에게 닥칠 수 있는 여러 종류의 고난은 물론이고

심지어 죽음의 위협에 처해도 도덕 법칙에 대한 의무감을 버리지 않지.

칸트는 사람들이 스스로 이런 질문을 받게 될 것이라고 했어.

네 안에 있는 무엇이 자연 본성과 싸우고

그 자연 본성이 너의 윤리적 원칙들과 충돌하게 되더라도, 그것들을 이겨 낼 것인가?

사람들이 이 질문에 대한 답을 완전하게 알 수 없을지도 몰라.

그렇다고 하더라도 저절로 생겨나는 이 물음을 통해서

영혼은 괴롭힘을 당할 테고 그럴수록 더 강하게 자기 의무를 신성하게 생각할 거야.

이러한 질문은 도덕 법칙에 대한 의무를 인식하게 하고, 의무의 신성함을 깨닫게 해 주지.

도덕 규칙을 훈련하고 실천하는 것은 결코 쉬운 일이 아니야.

도덕 법칙

도덕 규칙을 훈련하고 실천할 때 우리 마음은 두 가지 상태로 나뉠 거야.

하나는 의무를 수행함으로써 나타나는 유쾌한 마음 상태이고,

의무

다른 하나는 도덕을 실천하지 못하게 하는 방해물을 만났을 때 이들과 투쟁하려는 마음 상태야.

도덕

투쟁하려는 마음을 누르기 위해서는 도덕은 그 힘을 모아야 하고

살면서 누리는 인생의 많은 기쁨들을 희생시켜야만 해.

기쁨을 잃은 사람은 때때로 마음이 우울해지거나 투덜거리고 싶을 때도 있겠지.

그러나 사람들이 이 일에 기쁨을 느끼지 못한 채 한낱 노동으로 여긴다면

자신의 의무를 따르는 일에 아무런 가치를 찾지 못할 거야.

도덕 법칙을 주체적으로 실천하기 위해서는 자기 자신에게 엄격해질 필요가 있어.

도덕 훈련을 하면서 겪는 어려움과 고난을 견뎌야 하고

헛된 기쁨과 즐거움을 좇지 말아야 해.

살아가면서 불편함에 습관을 들이고, 안락함만을 추구하지는 말라는 뜻이지.

11장

칸트와 계몽주의

이번 장에서는 칸트 철학에서 빼놓을 수 없는 핵심 주제인 계몽주의에 대해 살펴보도록 하자.

과학자 뉴턴이 기초를 다진 자연 과학적 사고 방식은 영국을 시작으로 프랑스로 전해졌어.

아이작 뉴턴
(Isaac Newton, 1642~1727)

이후 프랑스에서 계몽주의가 크게 발전했고, 계몽주의는 전 유럽으로 확산되었어.

계몽주의는 당시 가장 진보적인 사상 운동이라고 할 수 있어.

앞서 나가자.

또한 17, 18세기 유럽과 미국의 정치, 사회, 철학, 과학 등 다양한 분야에 영향을 미쳤지.

사전을 보면 계몽은 '인간의 어리석음을 깨우친다.' 또는 '미완성 상태에서 완성된 상태로 나아가는 것이다.'라고 풀이하고 있어.

미신이나 인습에서 벗어나지 못한 사람을 일깨워서 새롭고 바른 지식을 가르친다는 뜻이야.

악어의 신이 분노하십니다.

헛된 소리!

또한 무지의 상태에 있는 사람에게 '이성의 빛'을 비추어서 인간의 존엄성과 자유 사상을 깨닫게 한다는 뜻도 있지.

무지는 어둠이고 이성은 어둠을 밝히는 빛이라고 할 수 있어.

그래서 계몽을 뜻하는 프랑스 어 뤼미에르(Lumières), 영어 인라인먼트(Enlightenment), 독일어 아우프클뢰룽 (Auflkaerung)에는

계몽!

'빛' 또는 '빛을 비추다', '투명하게 하다'의 의미가 있지.

계몽주의자들은 사람에게 이성의 빛을 비춤으로써 무지한 과거에서 벗어나서 진보할 수 있다고 주장했어.

또한 이성을 강화해서 새로운 지식을 얻게 되면 인류의 역사는 더욱 발전하고, 밝고 행복한 미래가 올 것이라고 생각했지.

계몽주의의 핵심은 그동안 당연하게 믿고 받아들였던 것들을 다시 생각해 보고 옳고 그름을 따져 비판적으로 사고해 보자는 것이야.

계몽주의는 전통과 관습, 도덕을 습관적으로, 또는 맹목적으로 복종하는 태도를 비판해.

이런 태도는 인류 역사가 발전하는 데 방해가 된다고 생각하기 때문이야.

또한 권위주의를 비판하고 상식과 경험, 과학적 지식을 중요하게 여기며

개인의 자유와 평등한 권리, 평등한 교육을 요구해.

그런데 칸트의 조국인 독일은 계몽주의의 물결을 받아들이지 못했지.

당시 독일은 300여 개의 작은 국가들로 분열되어 있었고,

신흥 강국으로 떠오른 프로이센조차도 사회적·문화적으로 유럽의 변방에 머물러 있었기 때문이야.

시간이 흐르면서 독일도 점차 유럽의 사상들을 받아들이기 시작했고

그 중심에 칸트가 있었어.

사실 독일의 계몽주의는 칸트로부터 시작되었다고 볼 수 있어.

계몽주의

출발점

칼 포퍼와 같은 현대 철학자들이 칸트를 최고의 계몽 철학자라고 평가하는 이유지.

칼 포퍼
(Karl Raimund Popper, 1902~1994)

1784년에 칸트는 〈계몽이란 무엇인가?〉라는 물음에 대한 답변〉이라는 대단히 중요한 논문을 썼고

논문은 〈월간 베를린〉이라는 잡지에 발표되었어.

월간 베를린

이 글은 1783년 〈월간 베를린〉에 실린 '교회를 거치지 않은 결혼을 비판하면서 시민 결혼이라는 관념을 만든 계몽이란 도대체 무엇이냐?' 라는 글에 대한 답변이라고 할 수 있어.

내가 시원하게 설명해 줄게요.

시민 결혼

당시 유럽을 풍미했던 계몽사상과 자신의 계몽주의 철학을 명확하게 밝힌 이 글은

계몽주의

칸트의 다른 저서들보다 읽기 쉬워서 '칸트 철학의 입문서'라고 불리기도 해.

내 철학을 이해하려면 먼저 이 논문부터 읽어 봐.

네.

논문은 다음의 유명한 구절로 시작해.

과감하게 알려고 하라!

계몽이란 우리가 마땅히 책임져야 할 미성년 상태로부터 벗어나는 것이다.

이 문장은 칸트의 계몽주의를 설명하는 가장 멋진 표현이라고 할 수 있어.

계몽주의!

칸트는 계몽을 '미성년의 상태에서 벗어나는 것'이라고 정의하고

미성년의 상태에서 벗어나기 위해서는 다른 사람의 힘을 빌리지 말고 자신의 힘으로 해야 한다고 주장했어.

비틀

비틀

그렇다면 '미성년의 상태'란 어떤 것일까?

미성년의 상태란 다른 사람에게 의존하는 상태, 즉 다른 사람의 지도와 지시에 따라 행동하는 상태를 말해.

따라와.

삐약~

네 네 네

자신의 이성으로 생각하고 판단해 행동하지 못하는 상태를 뜻하지.

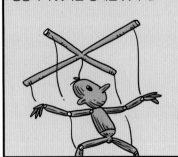

능력이 부족하거나 이성을 잃었다고 해서 그것을 미성숙하다고 하진 않아.

'결단과 용기'가 부족하면 미성숙의 상태가 되는데

그게 다 자신의 이성을 사용하려고 하지 않기 때문에 생기는 일이야.

칸트는 사람들이 계몽주의를 받아들이지 못하는 원인을 이성과 지성이 부족해서가 아니라

계몽주의

'오직 자신의 이성을 사용하려는 용기가 부족한 것'에서 찾았어.

이성

칸트의 계몽주의를 한 문장으로 표현하면 '네 자신의 지성을 사용할 용기를 가져라'라고 할 수 있어.

많은 사람들이 성인이 된 후에도 '미성년 상태'에 머물면서

아, 맛있어!

으앙! 내 사랑!

자신을 대신해 일 처리를 하는 후견인을 두려고 하지.

골치 아픈 건 질색이야!

칸트는 이러한 사람들이 생기는 이유를 게으름과 비겁함 때문이라고 냉정하게 말했어.

잠이나 자자.

로보짝짝

그런 상태가 무엇보다도 편하기 때문에 미성년의 상태에 머무르려고 한다는 것이지.

어른 아이!

앙~ 내 차~

그럼 우리 주위에 있는 사람들 중 '미성년 상태'라고 할 수 있는 사람은 누구일까?

칸트가 말한 몇 가지의 예를 살펴보자.

첫째, 스스로 생각하고 판단하기보다 책을 맹목적으로 받아들이는 사람이야.

어렵고 수준 높은 책을 읽고 많은 것을 아는 것은 크게 의미가 없어.

자신의 이성을 사용하는 용기 있는 일이 아니기 때문이야.

권위에 맹목적으로 복종하지 않고 스스로 자신의 지성을 사용할 때

사람은 미성년 상태를 극복하고 계몽에 도달할 수 있지.

둘째, 자신의 양심에 비추어서 행동하기보다는 자신을 대신하여 양심 있는 목사를 후견인으로 내세우는 사람이야.

자신의 양심에 따른 일을 하지 않고, 다른 사람의 지시를 따른다는 말은

자, 차례로 줄을 서서 타세요.

네.

네.

옳고 그름의 판단을 후견인에게 맡긴다는 의미지.

누가 정해 줘.

셋째, 건강한 음식을 챙겨 주는 의사를 고용해 자신의 건강을 돌보는 후견인으로 삼는 사람이야.

마찬가지로 자신의 건강을 스스로 챙겨야 하는 책임과 의무를 다른 사람에게 맡기는 경우란다.

다른 사람에게 돈을 주고 스스로 챙겨야 하는 일을 떠맡기는 행동이니까 말이야.

사람이란 조금도 수고로울 필요가 없는 상태에 머물고 싶어 하며, 다른 사람들이 우리를 대신해서 골치 아픈 일들을 처리해 주기 바라지.

칸트는 대다수의 사람들은 미성년에서 성년, 즉 스스로 자신의 이성을 사용하는 능력을 가진 계몽된 상태가 되는 단계를 위험하게 느낀다고 비판했어.

자, 이제 날아 봐요.

무서워요.

그리고 그 원인이 많은 사람들이 지도를 받지 않고 자신의 길을 가는 것을 매우 위험한 행위로 보는 데 있다고 지적했지.

그러나 미성숙에서 성숙으로 나아가는 계몽은 결코 위험하지 않아.

계몽 과정은 걷기와 같아.

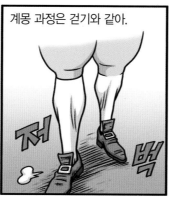

한 번도 걸어 본 적이 없는 아기가 처음에 혼자 걸으려고 하면 자주 넘어지잖아? 그러다가 좀 시간이 지나면 잘 걸을 수 있게 되지.

따라서 어떤 사람이 한 번 실수했을 때 그를 겁쟁이로 만들어서 다시 도전할 용기를 빼앗아 버리면 안 돼.

바보!

자전거도 못 타다네.

용기가 없으면 미성년 상태에 머무는 것이 거의 천성이 되고

자전거만 봐도 다리가 후들거려.

미성년에서 성년으로 나아가기가 매우 어려워지지.

← 바늘

더욱 심각한 문제는 대다수의 사람들이 미성년의 상태를 오히려 편하게 느끼고, 좋아한 나머지

어린아이가 되고 싶어.

자신의 지성을 점점 더 사용하지 않을 때야.

지성

생각하는 건 딱 질색이야.

사람이라면 어떤 일이 문제가 있다고 느끼거나 잘못되었다고 생각할 때

문제를 고치려고 끝까지 노력해야 하는데

끼릭

문제점을 고치려고 노력하지 않고 미성년의 상태가 주는 편안함 속에 머무르려고만 하지.

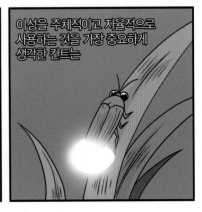

이성을 주체적이고 자율적으로 사용하는 것을 가장 중요하게 생각한 칸트는

타율이나 억압, 관습으로 이성을 사용하는 것은 비이성적인 태도이며 이성에 대한 모순이라고 주장했어.

떨렁~

잘못된 법이나 타고난 재능을 억압하면 사람은 이성을 제대로 사용할 수 없어.

法

자유롭게 자신의 이성을 사용하지 못하고 다른 사람에 의존하는 것은

물어 와!

사람을 영원히 미성년 상태에 가두는 족쇄를 채우는 것과 같아.

칸트는 개인을 계몽시키는 일보다 대중을 계몽시키는 일이 오히려 쉽다고 주장했어.

계몽

대중의 계몽 여부는 자유가 있느냐 없느냐에 달려 있기 때문에

민중 계몽

자유만 보장된다면 대중은 계몽의 상태에 도달하기가 쉽다고 생각한 거야.

계몽

자   유

대중에게 후견인이 있다고 할지라도 그 후견인 중에는 자율적으로 생각하는 사람이 있기 마련이며,

후견인

후견인 스스로 '미성년의 굴레'를 벗어나는 계몽사상을 앞장서서 퍼뜨리는 경우도 있어.

이런 상황을 두고 칸트는 다음과 같이 말했어.

후견인은 미성년의 굴레를 벗어 던진 후, 자신의 가치와 스스로 생각해야 하는 인간의 사명을 합리적으로 존중하는 정신을 널리 퍼뜨릴 거야.

인간의 사명

대중이 계몽되기까지는 오랜 시간이 걸려.

계몽은 사람들의 사고방식을 개혁하는 것이기 때문이야.

사람의 사고방식을 바꾸는 데에는 정치 혁명보다 훨씬 많은 에너지와 시간이 필요하지.

한 걸음씩 천천히!

칸트는 대중의 계몽을 위해서는 자유 이외의 다른 어떤 것도 필요하지 않다고 했어.

자유

계몽

여기서 말하는 자유는 '자신의 이성을 공적으로 사용할 수 있는 자유'를 말해.

이러한 자유를 반대할 때, 흔히 쓰는 구호가 있어.

제발 좀 따지지 마!

'따지는 행위'는 스스로는 물론이고 주변 사람에게도 물어보는 이성적인 활동이지만

사실 '따지는' 사람을 좋아하는 사람은 많지 않아.

특히 힘이 세거나 권력을 가진 사람은 따지는 사람을 아주 싫어하지.

자꾸 따질래? 수용소로 보낸다!

헉!

칸트는 따지는 것을 싫어하는 사람으로 장교, 세무직원, 성직자를 들었어.

묻지도 따지지도 말고 오로지 하나님.

따지지 말고 그냥 훈련해!

삑

따지지 말고 세금 내!

세금

따지지 말고 그냥 믿으시오.

모든 분야에서 무제한으로 완전한 자유를 실현하기는 몹시 어려워.

끼이익

칸트도 이성을 사적으로 사용할 때 자유가 제한되는 것은 어쩔 수 없다고 했지만

이성을 공적으로 사용하는 일에는 자유가 절대 제한되어서는 안 된다고 했어.

이성을 '사적 사용'과 '공적 사용'으로 구분한 것이 독특하지?

이성을 '공적'으로 사용한다는 것은 대중들을 계몽시키기 위해 이성을 사용하는 것을 의미해.

우리 모두 냉정하게 생각해 나아갑시다.

계몽

개인이 세계 시민의 한 사람으로서 자신의 생각을 대중에게 전달하는 경우 이성을 공적으로 사용한다고 할 수 있지.

내 이익을 위해서가 아니라 세계를 위해서!

학자가 독자나 대중 앞에서 자신의 이성을 사용하는 경우도 이성을 공적으로 사용하는 것이라고 할 수 있어.

군대의 경우는 좀 달라. 한 군인이 상관으로부터 명령을 받았다면 그 명령이 적합한가를 따지는 일은 불필요해.

이 작전은 반대합니다.

상관의 명령을 거스를 텐가?

공동체 안에서는 정해진 규정을 수동적으로 지켜야 하는 경우가 많기 때문이야.

빠빠

기상! 기상!

더 자고 싶은데….

군대라는 공동체에서 상관의 명령을 실행하는 것은 공공의 목적을 위한 일이기 때문에 자신의 의사와 상관없이 수행해야 하지.

고지를 탈환하라!

와아

하지만 이 군인이 학자로서 병역 의무 제도를 비판하고, 대중에게 호소한다면 누구도 이 일을 금지시킬 수 없어.

젊은이들의 자유를 구속하는

징병제를 폐지해야만 합니다!

옳소!

강연회

후자의 경우 군인은 개인의 이익을 위해서가 아니라, 공공의 이익을 위해서 하는 행동이기 때문이야.

마찬가지로 학자로서의 행동은 '이성의 공적 사용'에 해당해.

이성의 공적 사용

만약 학자가 세금을 내야 하는 시민의 입장이라면 세금 납부를 거부할 수 없어.

장사를 계속 하려면 세금을 내!

세금

그것은 납세의 의무에 불만을 가진 개인의 사적인 이익을 취하기 위한 행동이기 때문이지.

한 푼도 못내겠소.

가뜩이나 장사가 안 되는데…

그러나 같은 사람이 학자로서 과세의 부당함이나 부정을 연구해 대중 앞에 발표한다면

계속되는 불경기에

세금 인상은 서민들을 굶주리게 하는 것입니다!

옳소!

이것은 이성을 공적으로 사용했다고 할 수 있지.

세금을 줄여 줘요!

성직자는 교회의 교리에 따라서 신자들에게 강론하거나 설교할 의무가 있어.

교리

그렇다고 자신의 개인적인 생각을 자유롭게 강론해서는 안 돼.

x +*#@~ %$

성경에 있는 말인가?

성직자 마음대로 교리에 어긋나는 강론을 하는 일은 이성을 사적으로 사용하는 것이라고 할 수 있어.

돌파리!

꺼져!

악!

그러나 성직자가 학자로서 잘못된 교회 제도를 개선하자고 대중 앞에서 제안한다면, 그 자유는 보장되어야 하고

목사 세습 체제는 21세기에 어울리지 않습니다.

맞아!

성직자가 양심의 갈등을 겪어야 할
이유도 없어.

바로 이성을 공적으로 사용한
경우이기 때문이지.

신의 말씀을
실천하시는 분!

이성을 공적으로 사용할 때에는
그 사람의 자유를 제한하지
말아야 해.

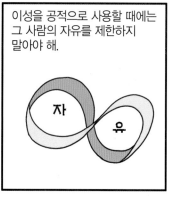

이성을 다른 사람과 함께 살아가기 위한
목적으로 사용하면

누군가를 계몽할 수 있기
때문이야.

반면 '이성의 사적 사용'은 개인이나
특정한 집단의 이익을 위해 이성을
사용한다는 뜻으로

이달 실적

분발하세요

직업이나 직무를 수행하는 일도
여기에 포함돼.

누구든지 한 조직이나 단체에 속한
한 사람으로서가 아니라

자율적이고 자유로우며
주제적인 한 사람으로서
이성을 사용했다면 이성을
공적으로 사용했다고 할 수
있어.

이성을 공적으로 사용하는 사람은
전체적이고 세계적인 사고를 하는
사람이야.

칸트는 이성을 공적으로 사용할 권리는
모두에게 있으며 이를 실천하는 데 필요한
자유를 아무도 막을 수 없다고 했지만

이성의
공적 사용

역사적으로 보면 자유는
많은 제한을 받았지.

특히 종교의 역사를 보면 이러한 사실을 더욱 분명하게 알 수 있어.

종교가 계몽주의에 큰 영향을 끼친다고 생각한 칸트는

종 교

계몽
주의

종교적으로 미성년 상태에 있는 것이 가장 해로우며, 가장 불명예스러운 일이라고 생각했어.

특히 성직자들이 신자들의 후견인 역할을 하며 신자들의 생활을 감독할 때 이런 일이 자주 일어난다고 보았지.

잘 시간!

네.

설령 국민의 미성숙함을 깨우치기 위한 좋은 목적이라고 할지라도,

사람의 자유를 제한하는 것은 명백히 잘못된 일이야.

시대 상황이 아무리 혼란스러워도 다음 세대가 지식을 확장하지 못하고

현재의 잘못을 없앨 수도 없고 계몽을 진행할 수도 없는 상태에 머물러서는 절대 안 돼.

그것은 인간성을 침해하는 일이기 때문이야.

그러므로 후대는 자신을 미성년 상태로 두려는 결정을 거부할 권리가 있어.

인류의 진보를 잠시 동안이라도 방해하고, 후손들에게 누를 끼치는 행동은 결코 허용할 수 없는 일이야.

이러한 의미에서 계몽은 '인류의 신성한 권리'라고 할 수 있지.

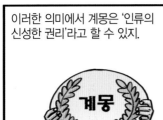

칸트는 자신이 계몽된 시대에 살고 있다고 했어.

조국 독일은 계몽된 시대는 아니지만 계몽이 진행되는 중이라고 믿었지.

종교 분야에서 계몽을 방해하는 장애물이 조금씩 사라지고 있다고 여겼기 때문이야.

칸트의 계몽사상과 칸트 이전의 계몽사상은 서로 큰 차이가 있어.

칸트 이전의 계몽사상은 과학과 합리성에 치중한 반면

칸트의 계몽사상은 도덕에 중점을 두었어.

'계몽은 새로운 지식을 습득하거나 지식을 기계적으로 사용하는 것이 아니다. 정신의 게으름과 비겁함을 극복하는 것이다.'라는 칸트의 말처럼

적극적으로 사람을 계몽하기 위해서는 성숙하고자 하는 용기가 필요하지.

계몽은 인간성을 실현하며, 더 나은 진보를 향해 나아가는 과정이기 때문이야.

12장
칸트 도덕 철학의 의미와 후세에 미친 영향

칸트는 18세기 서양 철학사에 가장 큰 영향력을 끼친 인물이야.

실제로 서양 철학은 칸트 이전과 이후로 굉장한 차이를 보여.

칸트가 등장하면서 중세의 형이상학이 막을 내렸고 합리론과 경험론이 통합되었으며

인간의 이성이 모든 인식의 주체가 되는 시대가 열렸어.

칸트의 저서에 비판으로 끝나는 제목이 많은 이유도

그가 유럽 철학을 비판적으로 검토했기 때문이야.

그의 철학을 '비판 철학'이라고 부를 만하지?

왜 비판 철학이라고 하는가?

17~18세기의 서양 철학은 크게 합리주의와 경험주의로 나눌 수 있어.

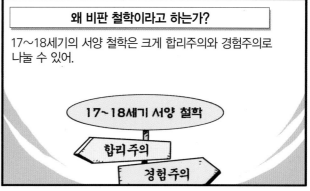

합리주의는 인간이 본래부터 지닌 선험적 이성을 중시해서

주로 연역법으로 진리를 탐구하지.

연역법이란 증명된 대전제로 새로운 결론을 논리적으로 이끌어 내는 방법을 말해.

예를 들어 '모든 개는 죽는다.'라는 대전제가 있다고 해 보자.

'모든 개는 죽는다.'라는 말은 누구도 부정할 수 없는 사실이므로 대전제가 될 수 있어.

그렇다면 다음과 같은 논리가 성립될 수 있어.

모든 개는 죽는다. → 우리 집 애완견 똘똘이는 개다.

그러므로 똘똘이는 죽는다. ←

그런데 여기에 문제가 있어.

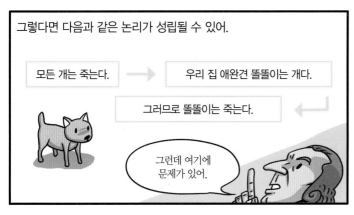

'똘똘이는 죽는다.'라는 결론은 '모든 개가 죽는다.'라는 대전제의 일부에 해당될 뿐이야.

그러므로 새로운 진리가 될 수 없지.

따라서 연역법을 기반으로 하는 합리주의의 철학은 지식을 확장하는 것에는 큰 도움이 될 수 없어.

반면 경험주의는 인간이 경험해서 얻은 지식을 중요하게 여기지.

곧 비가 오겠군.

경험주의는 귀납법을 이용해 진리를 탐구해.

귀납법

귀납법이란 개별적인 사실이나 경험에서 보편적인 결론을 이끌어 내는 방법을 말해.

예를 들면 다음과 같은 논리야.

옆집 철수의 애완견 해피도 죽었다. → 앞집 영희의 애완견 핑크도 죽었다.

그러므로 모든 개는 죽는다. ← 우리 집 애완견 똘똘이도 죽었다.

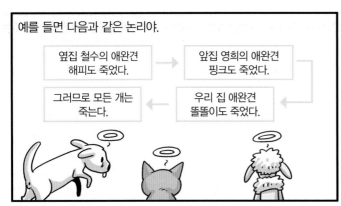

귀납법도 진리를 찾는 데 한계가 있어.

개인이 세상 일을 모두 경험하거나 관찰하기는 불가능한데

부분을 관찰해 얻은 결론을 일반적인 진리로 여기기 때문이야.

나는 다 익었는데…

설 익었네.

진리

귀납법

그러므로 논리적으로 오류가 생길 수밖에 없어.

ERROR!

칸트는 이와 같은 합리주의와 경험주의의 문제점을 비판하면서 두 사상을 통합하려고 했어.

평생 동안 두 철학을 통합하기 위해 많은 노력을 기울였고

이 일은 그의 업적 중에서 가장 뛰어난 성과로 평가 받고 있지.

합리주의자들은 보편적인 개념과 법칙으로 진리에 접근할 수 있다고 믿어.

경험주의자들은 경험이 전체 지식의 유일한 원천이라고 주장하지.

그런데 서양 철학이 발달하면서 두 사상은 비판을 받게 돼. 합리주의자들은 그들이 독단적으로 주장하는 합리론이 정말 타당한 철학인지 의심을 받았고

경험주의자들은 객관적인 세계를 보지 않는다는 비판에 휩싸였어.

합리론은 인간의 이성 능력을 과대평가한 나머지 경험을 평가 절하하고

경험론은 경험을 강조한 나머지 보편타당한 이성의 법칙을 무시하고 만 거야.

칸트는 합리론과 경험론의 단점을 극복해 새롭게 서양 철학을 정립할 필요성을 느꼈어.

뭘로 다시 끼운다?

그 결과 두 철학을 하나로 통합해

그래, 바로 이거야.

사실을 종합적이며 올바른 방식으로 인식할 수 있도록 이끌었어.

내가 비판 철학을 통해 성취한 대업적이야.

칸트 윤리학의 업적

칸트의 실천 철학은 유럽 철학사에 또 하나의 이정표를 제시하고 윤리학을 새롭게 정립했다는 평가를 받고 있어.

자연현상에 원인과 결과가 있듯이 인간 역시 어떤 법칙의 지배를 받게 되는데 칸트는 그것을 도덕 법칙이라고 했어.

또한 인간은 본능적인 욕망을 극복할 수 있는 자유 의지를 가지고 있는데 이 또한 도덕 법칙의 지배를 받는다고 주장했어.

살쩌!

먹고 싶지만 참아야지!

도덕 법칙은 이성을 가진 인간에게 적용되며

도덕 법칙이 무엇인가를 밝히는 것이 윤리학의 목적이야.

칸트가 활동할 무렵 영국에서는 공리주의 철학자들의 활동이 활발했어.

공리주의자들은 사람은 개인의 행복을 추구해야 한다고 주장하고

'도덕은 최대 다수의 최대 행복을 목적으로 한다.'라고 말했지.

저 벤덤이 한 말이죠.

제리 벤덤
(Jeremy Bentham, 1748~1832)

공리주의 철학은 근대 시민 사회의 윤리적 기준이 되었고,

공리주의 철학

오늘날 자본주의의 정신적 토대가 되었어.

공리주의

공리주의자들은 도덕적인 가치를 시대적 상황이나 주변 환경, 관습에 맡기려는 경향이 강하고

윤리학을 사회학의 한 부분으로 간주해.

윤리학

칸트는 이러한 공리주의자들의 가치관을 비판하고 도덕적 선의 순수성과 절대성을 강조했어.

공리주의

순수

절대

윤리학을 자연주의로부터 떼어 내고

이 사람의 인간성은….

두근

도덕 법칙은 태어날 때부터 주어지는 근본적인 것임을 강조했어.

도덕 법칙

그래서 칸트는 도덕을 '삶의 입법자'라고 불렀지,

도덕

이성적인 존재인 인간은 어떤 현상이나 사상적 흐름에 복종하지 않으며,

스스로 선을 실현할 수 있는 능력을 가진 존재라고 생각한 것이지.

선

따라서 윤리학을 사회의 전통이나 신의 계시가 아닌

인간의 주체적인 자유 의지에 토대를 두고 설명하고자 했어.

칸트 윤리학의 보편성

칸트의 윤리학은 도덕의 보편적 사실을 세워 상대적인 윤리학을 극복했다는 점에서 높이 평가할 수 있어.

즉 지역이나 공간에 따라서 차이가 나는 도덕을 지양하고 모두가 인정할 수 있는 객관적인 도덕을 추구하려고 했지.

모든 사람이 합리적이고 타당하다고 인정하는 도덕을 지키는 것이 옳다고 생각했기 때문이야.

그러므로 개인의 감정에 따라 선을 베푸는 것은 옳지 않고

보편적인 도덕 법칙에 따르며 행동하는 것을 옳다고 보았어.

'양심'을 '내면의 법정'이라고 하면서 양심의 가치를 아주 높이 평가한 것도 그 이유야.

칸트는 윤리의 핵심을 당위와 자유에서 찾았는데

이 점이 칸트의 윤리학이 다른 윤리학과 구분되는 중요한 특징이야.

칸트는 당위적인 사실을 통해서 순수한 도덕 철학을 정립하고자 했어.

마땅히 해야 할 일이죠.

경험으로부터 독립된 순수성을 가진 도덕 법칙은

도덕 법칙

이성적 존재에게 타당한 의무, 정언 명령을 내려.

칸트는 실천 이성으로 도덕 법칙을 부인할 수 없는 절대적인 것으로 받아들이게 했어.

그리고 윤리적 선택을 인간의 자유 의지와 결합해

바쁘다, 바빠.

어떠한 외적 타당성을 내세우는 주장도 받아들일 수 없도록 했지.

모든 권위는 오직 이성 앞에서 정당화될 수 있기 때문이야.

사람이 누리는 자유는 필연적이며

당위와 의지를 포함할 뿐만 아니라 사람 스스로 책임져야 해.

손대지 마시오

칸트의 영향을 받은 후계자들

칸트의 철학은 후대의 철학자들에게 큰 영향을 주었어.

칸트 철학

특히 칸트가 정립한 '자유'의 정의는 철학사에서 중요한 의미를 지녀.

인간이 능동적인 도덕적 행위자로 인정받기 위해서는 반드시 자유가 필요해.

물리적 존재이며 자연의 법칙에 매여 자유롭지 않은 인간이

살려 줘.

자유를 전제로 하는 경우는 도덕적 의무를 행할 때야.

자유

도덕적 의무

칸트는 이 논증을 통해서 인간이 자연법칙의 지배를 받는 존재이자 자유 의지를 가지고 높은 도덕성을 실천할 수 있는 존재임을 증명하고자 했어.

마지막 물이라네. 자네가 마셔.

그럴 순 없네. 나만 살 수는 없어.

인간을 두 영역이 동시에 존재하는 자로 본 거야.

도덕 법칙

자연법칙

칸트의 후계자들은 자유 개념을 더욱 확장시켜

자유

자유의 개념을 존재자의 본질로 발전시켰지.

자유

칸트의 영향을 가장 많이 받은 독일의 철학자 피히테는

내 영향이 그리 컸나?

물론이죠.

요한 고틀리프 피히테
(Johann Gottlieb Fichte, 1762~1814)

셸링, 헤겔 등과 함께 독일의 관념론 철학을 완성한 철학자야.

관념론이란 정신, 이성 등을 중요하게 여기는 이론이야.

관념론

프리드리히 헤겔
(Georg Wilhelm Friedrich Hegel,
1770~1831)

프리드리히 빌헬름 셸링
(Friedrich Wilhelm Joseph von Schelling,
1775~1854)

피히테는 칸트로부터 헤겔로 이어지는 독일 철학의 중간 다리 역할을 했으며,

〈신의 세계 지배에 대한 우리들의 신앙 근거에 관하여〉라는 논문으로 무신론 논쟁을 일으켜 18세기 유럽을 들썩거리게 했어.

나폴레옹 전쟁에서 패한 독일을 구하기 위해 '독일 국민에게 고함'이라는 유명한 강연을 한 사람이기도 해.

피히테는 칸트의 비판 철학책 중에서 특히 '실천 이성 비판'의 영향을 많이 받았다고 해.

그는 칸트가 주장한 실천 이성이 이성의 뿌리이며,

인류가 이룩한 모든 지식의 절대적 근거임을 증명하고자 노력했어.

피히테 다음으로 칸트의 영향을 많이 받은 철학자는 헤겔이야.

헤겔은 독일의 관념론을 완성한 철학자로 특히 변증법으로 유명하지.

변증법은 만물의 변화를 설명하려는 이론으로,

만물은 원래의 상태인 정(正)에서 자기 부정을 통해 반(反)의 단계로 나아가고

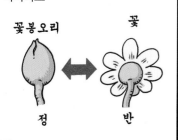

결국 이 모순을 해결하기 위해 새로운 합(合)의 단계로 나아간다는 이론이야.

변화의 결과물인 합은 또 다른 변화의 출발점이 되고, 변화는 최고의 지점에 이를 때까지 끊임없이 반복되지.

실제 헤겔은 변증법의 핵심 이론인 정반합의 개념을 직접 사용하지는 않았어.

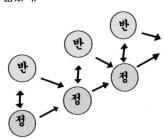

나중에 헤겔의 변증법을 일반인이 쉽게 이해하도록 정반합의 개념을 처음 사용한 사람은 철학자 살리베우스야.

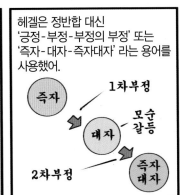

알기 쉬운
변증법
저:살리베우스
정 반 합

헤겔은 정반합 대신 '긍정-부정-부정의 부정' 또는 '즉자-대자-즉자대자' 라는 용어를 사용했어.

즉자
1차부정
대자
모순 갈등
2차부정
즉자 대자

헤겔의 철학은 칸트에게 시작해 칸트에서 끝났다는 말을 들어.

칸트 철학

특히 헤겔은 칸트의 자유 개념을 발전시켜 '자유는 의지의 실체이며, 정신의 실체이고, 정신의 최고 규정'이라고 정의했지.

칸트 철학의 한계를 극복하려는 헤겔의 노력이 느껴지지?

칸트 철학의 한계

독일의 대표 작가 헤르더는 스승 칸트를 다음과 같이 표현했어.

나는 정말 운 좋게도 한 철학자를 직접 대할 기회를 가졌다. 그는 나의 선생님이었다.

요한 고트프리드 헤르더
(J. G. Herder, 1744~1803)

그는 젊은 시절에 젊은이다운 명랑함과 고양된 정신을 가지고 있었지만, 내가 보기에 그는 그러한 정신을 노년기까지도 그대로 간직하고 있었다.

마치 사고하도록 만들어진 듯한 그의 넓은 이마엔 아무도 깨뜨릴 수 없는 평정과 기쁨이 자리하고 있었고

그의 입술에서는 풍부한 사상이 흘러나왔고, 농담과 기지 그리고 멋진 유머가 그가 마음먹은 대로 요리되었다.

그의 강의와 가르침은 너무나 매혹적인 즐거움이었다.

독재는 그의 천성과 너무도 거리가 멀었다.

나는 즐거운 마음으로 그의 모습을 회상한다.

내가 가장 깊이 감사하고 존경하는 분의 이름은 바로 칸트다.

칸트 윤리학의 특징은 무엇인가?

칸트는 윤리학을 행위를 위한 법칙이자 명령으로 만들었어.

법칙과 명령은 절대적인 것으로 '만약'이나 '그러나'를 허용하지 않아.

또한 어떤 현상이나 개인적인 이익을 고려하지도 않아.

자칫하면 상황이나 개인에 의해 윤리도 수시로 달라질 수 있기 때문이야.

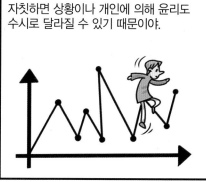

칸트의 윤리학은 오직 이성에 의해 움직이지.

영국 공리주의자들이 행복, 복지, 이익 등을 주장했다면

그들의 논리를 거부한 칸트의 도덕은 엄숙주의라고 할 수 있어.

엄숙한 도덕은 의지에 거슬릴지라도 의무를 강조하기 때문에 의무 윤리학이 되기도 해.

그래서 칸트의 도덕 철학은 지나치게 형식적이라는 비판을 받기도 하지만

그릇만 크고 화려하지.

먹을 게 없네.

칸트의 도덕철학

인간 존엄성의 근거를 밝히는 데 큰 역할을 한 것은 분명해.

칸트의 윤리학

인간은 도덕의 자율성을 통하여 인간 본성의 존엄성을 인정받을 수 있다는 말 기억해?

인간이 자신에게 도덕적 법칙을 부여하지 못한다면, 인간은 감성적인 세계에 빠져 물질이나 신의 노예가 될 거야.

중세 시대의 철학자 토마스 아퀴나스는 인간은 그 누구도 진정한 의미에서 자신의 행동에 대한 법칙을 부여할 수 없다고 말했어.

나는 스콜라 철학자이자 자연 신학의 선구자였어.

그 모든 것은 신으로부터 온다고 여겼기 때문이야.

이성

신학

철학

또한 신의 은총으로 자연이 유지되고 완성되는 것처럼

인간의 자연적인 이성은 신앙에 봉사해야 한다고 주장했어.

하지만 칸트는 토마스 아퀴나스의 생각에 동의하지 않았어.

인간이 절대적 수단으로 이용되어서는 안 되며

어떤 목적에도 구속되지 않아야 한다고 주장했어.

이를 통해 더 높은 세계로 올라갈 능력이 있다고 믿은 거지.

칸트는 인간이 자신뿐만 아니라 인간 자체에 대하여 감탄과 존경의 마음을 가져야 한다고 주장했어.

또한 '별이 빛나는 하늘과 내 마음속에 있는 도덕 법칙'이라는 표현처럼

인간의 인격은 존엄하며 지성적인 존재로서 무한한 가치를 지니고 있음을 강조했어.

영구 평화론의 기초가 된 실천 이성 비판

칸트에게 국가란 사람들을 법률 아래에 통일시킨 집단이야.

그런데 이러한 통일은 외적인 것에 불과해.

개인의 자유를 보장하기 위해서 국가 권력이 스스로 감시해야 하기 때문에

국가를 제대로 운영하기 위해서는 삼권 분립이 필요하지.

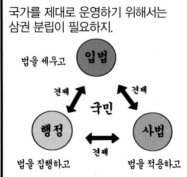

법을 세우고 **입법**

견제

국민

견제

행정 법을 집행하고

견제

사법 법을 적용하고

국가는 국민에게 이념을 강제하지 않고

자유와 평화를 추구해야 해.

자유와 평화가 잘 정착되기 위해서는 올바른 국제 관계를 맺어야 해.

칸트는 이를 영구 평화론이라고 했는데

국제 사회의 갈등을 해결하기 위해 국가들끼리 국제 기구를 만들어야 한다는 그의 주장은

훗날 국제 연합의 기초 정신이 되었지.

영구 평화론은 국가가 가장 우선해야 할 도덕적이며 실천적인 과제야.

칸트 철학의 한계점

칸트는 최고선을 실현하기 위해서는 신의 존재가 필요하다고 생각했어.

신에 대한 개념 없이 최고선에 도달하기 어려우며

실천 이성을 위해서 신은 불멸해야 한다고 여겼어.

자유와 자율을 도덕법의 근거라고 말하면서도 결국 신의 존재가 없다면 도덕법을 실현할 수 없다는 주장에

사람들은 의문을 제기했지만

> 신이 있으면 인간은 자유 의지를 실현할 수 없잖아요.

칸트는 이에 대해 명확한 설명을 하지 않았어.

> ….

20세기 이후의 칸트 철학

20세기 초 칸트 철학은 신칸트주의라는 이름으로 역사에 다시 등장해서

독일을 지배하며 유럽의 철학계에 많은 영향을 끼쳤어.

신칸트주의는 칸트의 비판적 사고를 엄격히 적용했고

철학, 교육, 자연과학 분야에까지 영향을 주었어.

특히 칸트의 실천 이성 비판은 현대의 도덕 이론에 결정적인 영향을 끼쳤는데,

현대 도덕 철학의 대표 주자인 롤스와 샌델이 정립한 정의 이론은 칸트의 자율성 개념과 정언 명령에 뿌리를 두고 있어.

마이클 샌델
(Michael Sandel, 1953~)

존 롤스
(John Rawls, 1921~2002)

경험론과 합리론

 무언가를 많이 아는 것은 대단한 일이에요. 하지만 많이 아는 것보다 중요한 게 있어요. 바로 '정확하고 올바르게' 아는 것이지요. 잘못된 지식이 잘못된 결과를 낳은 일은 인류 역사에서 수없이 있었거든요.

'어떻게 하면 올바르게 알 수 있을까?'

 이 문제는 철학자들의 오랜 고민이기도 합니다. 이것을 전문적으로 연구하는 학문의 분야를 인식론이라고 해요. 인식론은 '아는 것이 어떻게 가능한가?', '어떤 방법으로 아는 것이 올바르게 아는 것인가?', '안다고 할 때 근거가 무엇인가?', '사람은 어디까지 알 수 있고 무엇을 알 수 있는가?' 등의 문제를 고민하는 학문으로 크게 경험론과 합리론으로 구분할 수 있습니다.

경험론_ 경험으로 안다

 경험론의 대표적인 철학자 탈레스(Thales, 기원전 624?~기원전 546?)는 '세상은 무엇으로 만들어졌을까?'라는 질문을 끊임없이 하면서 세상의 본질에 대해서 고민했어요. 탈레스는 '물'이야말로 이 세계를 구성하는 가장 근본적인 물질이라고 생각했어요. 물은 생명을 만들어 내며 자연 속에서 스스로 변화해서 다양한 모습으로 나타난다고 보았던 것이에요. 탈레스는 경험을 바탕으로 과학적 사고를 한 최초의 경험론자랍니다.

탈레스

존 로크

 근대의 대표적인 경험론자로는 영국의 철학자 존 로크(John Locke, 1632~1704)가 있어요. 로크는 아는 것에 대해 말하려면 누구나 동의할 수 있는 원칙이 필요하다고 생각했고, 이 원칙을 경험에서 찾으려고 했어요. 경험을 통해 인식해야 모든 사람이 인정할 수 있는 객관적인 원칙을 만들 수 있고, 이러한 인식이 정확하고 올바르다고 주장했어요. 예를 들어 음식

맛을 알려면 생각과 이론만으로는 안 되고 우리가 직접 먹어 봐야 한다는 것이지요. 그래서 로크는 '우리가 아는 모든 것은 경험에서 나왔고, 이 경험을 토대로 대상을 인식할 수 있다.'라고 했어요. 그리고 인식하기 전에 사람은 '백지' 상태라고 주장했어요.

합리론 _ 이성으로 안다

합리론은 인식을 경험이 아니라 생각하는 힘, 즉 이성에 의해서 얻는다고 주장해요. 고대 그리스 철학자인 헤라클레이토스(Heraclitus, 기원전 540?~ 기원전 480?)는 이성의 힘으로 세계를 이해했어요. 세계의 모든 것들은 서로 연관을 맺고 질서에 따라 움직이는데, 근본적으로 이성에서 비롯된다고 생각했지요.

눈물 흘리는 헤라클레이토스

근대의 대표적인 합리론자로는 프랑스 철학자 르네 데카르트(Renè Descartes, 1596~1650)가 있어요. 그는 감각에 의존하는 경험은 정확하지 않기 때문에 오히려 실수나 착각을 일으킬 수 있다고 비판했어요. 오직 이성을 통해 올바르게 인식할 수 있다고 보았지요. 그런 의미에서 '나는 생각한다, 그러므로 나는 존재한다.'는 유명한 말을 남겼어요. 이성을 가진 존재로서 의심되는 것은 모두 버리고 오직 '생각하는 나'에 기초를 두는 것이 합리론의 기본 원리라고 주장했어요.

르네 데카르트

칸트는 합리론과 경험론으로 나누지 말고 통합해서 생각하는 것이 옳다고 생각한 철학자예요. 두 이론이 서로 대립하거나 어느 한 쪽이 맞고 다른 쪽은 틀리다고 생각하지 않았지요. 사람이 무엇을 올바르게 인식하기 위해서는 경험론과 합리론이 둘 다 필요하다고 생각했기 때문이에요. 감각이 경험한 자료들을 이성에게 전하면, 이성은 올바르고 확실하게 인식한다고 생각했어요.

《에밀》이 말하는 이상적인 교육

매우 규칙적인 생활을 했던 칸트가 산책 시간을 못 지킨 적이 있는데, 《에밀》을 읽다가 시간 가는 줄 몰랐기 때문이지요. 칸트는 《에밀》을 쓴 루소가 인식에 대한 옳은 길로 자신을 이끌었다고 고백하기도 했어요. 《에밀》은 어떤 책이기에 칸트를 이토록 열중하게 했을까요?

장 자크 루소

장 자크 루소(Jean Jacques Rousseau, 1712~1778)는 프랑스 계몽기에 태어난 사상가이자 교육 철학자예요. 그는 스위스 제네바에서 시계 기술자의 아들로 태어났어요. 루소는 어려서 제대로 된 교육을 받을 수 없었어요. 어머니는 루소가 태어난 지 열흘 만에 세상을 떠나시고, 아버지마저 루소가 10세 되던 해에 집을 나갔어요. 그 후 고아가 된 루소는 이곳저곳을 떠돌아다니며 살았지만, 자신의 상황에 절망하지 않았어요. 엄청나게 많은 책을 읽으면서 미래를 착실하게 준비했어요. 자신의 운명을 개척해 나가는 도구가 바로 책이었던 거죠. 루소는 계몽사상가로서 특히 교육에 관심이 많았어요. 루소의 교육관을 담은 책이 바로 《에밀》이랍니다.

《에밀》의 주요 내용

《에밀》의 핵심은 교육의 목적은 참된 인간을 길러내기 위해서지 지식인을 길러내기 위해서가 아니라는 점이에요. 책의 주인공인 에밀이 유아기부터 어른으로 성장하고 결혼하기까지의 교육 과정을 다섯 단계로 나누어 보여 주고 있어요.

첫 번째 시기: 유아기(출생~5세)

에밀에게 아직 어떤 관념이나 생각이 만들어지기 전의 시기예요. 이 시기에는 나쁜 환경에서 살지 않도록 아이를 보호하는 것이 가장 중요해요. 환경이 아이의 자연스러운 본성에 부정적인 영향을 주지 못하게끔 말이지요.

두 번째 시기: 아동기(5세~13세)

이 시기에는 경험 훈련이 신체적 발달에 중요한 역할을 하므로, 책을 읽는 교육은 별로 효과가 없어요. 에밀 스스로 생각하는 힘을 키우기 전에 아무리 책을 읽어 봤자 단순히 읽고 말하는 능력만 성장하기 때문이죠. 이 시기에는 무엇보다 선생님의 역할이 중요해요.

세 번째 시기: 소년기(12세~15세)

적극적으로 지적 발달을 도모하는 시기예요. 이성의 힘에 의해서 자연·사회·인간에 대한 유용한 지식을 학습하는 시기라고 할 수 있죠. 그전까지는 에밀이 주체적으로 성장하도록 교사나 부모가 간섭이나 강요를 하지 않고 소극적인 교육을 해 왔다면 이제부터는 적극적인 교육이 필요해요.

네 번째 시기: 청년기(15세~20세)

에밀이 사춘기를 겪는 시기로, 정서와 도덕성의 안정을 꾀해 이성이 완전해지도록 하는 교육의 역할이 중요해요. 도덕적·종교적 감성이 성숙해지면서 스스로 선택하고 판단할 줄 알아야 하지요. 에밀의 신체적인 변화가 두드러지게 나타나 '제2의 탄생기'라고도 불러요.

다섯 번째 시기: 성년기(20세~결혼)

드디어 이상적인 교육을 받은 에밀은 목수를 직업으로 선택합니다. 그리고 '소피'라는 이상적인 신부를 만나 서로 진정으로 사랑하며 사는 것으로 책은 끝을 맺고 있어요.

루소는 에밀의 일생을 통해 참된 교육은 아이들이 사회로부터 나쁜 물이 들지 않도록 최우선으로 막는 것이며 아이들이 강요와 지시에 따라서 교육 받으면 인간의 천성이 제대로 실현될 수 없다는 점을 강조했습니다.

루소가 살던 집©@SWISS NATIONAL LIBRARY

국가의 권력은 어디서 나올까?

칸트가 생각한 이상적인 나라는 '목적의 나라'예요. 목적의 나라가 실현되기 위해서는 반드시 평화가 필요하다고 생각했지요. 하지만 칸트의 생각과 다른 생각을 가진 철학자가 있었답니다. 바로 홉스예요. 국가에 대한 두 사람의 차이를 비교해 볼까요?

국가의 권력이 국민으로부터
나온다고 주장한 칸트

국가의 권력은 국민에게서 나온다_칸트

사람이 자신의 목적을 추구하기 위해서 꼭 필요한 것은 평화입니다. 평화적인 과정과 방법 없이 목적만을 생각한다면 공동체의 유지에 필요한 질서가 무너지기 때문이에요. 칸트는 국가와 사회의 평화는 법질서가 잘 지켜질 때 가능하다고 생각했어요.

칸트는 사람은 자유로운 존재라는 점을 항상 강조했어요. 자유로운 의지를 가진 사람은 '실천 이성'을 가지고 있어서 스스로 삶의 목적을 세울 수 있고, 이 목적을 이룰 방법을 자율적으로 정할 수 있다고 여겼어요. 사람은 태어날 때부터 이성적인 생각을 할 수 있는 능력을 가지고 있어서 옳은 것을 판단할 수 있다는 말이지요.

그래서 개인의 자율성을 존중하여 보편적 인권을 주장했습니다. 칸트가 말하는 '합목적적 자율성을 지닌 개인'은 훗날 '인격'이라는 개념으로 발전했고, 인권을 확립하는 데 중요한 기반이 되었어요.

칸트는 국가를 도덕성 증진을 위한 하나의 시설이라고 보아, 국가의 건립을 도덕적 의무와 연관시켰어요. 또한 국가보다는 사람의 인권이 우선이라고 생각했기 때문에, 개인은 국가적 경계와 상관없이 어디든 머물 수 있다고 주장했습니다.

이처럼 개인의 자율성을 강조한 칸트는 국가의 권력은 국민에게서 나온다는 국민 주권주의를 주장했으며, 공화제(다수가 화합하여 정치를 시행하는 제도)를 이상적인 정치 제도로 보았습니다.

국가는 국민을 강한 힘과 법으로 다스려야 한다 _ 홉스

토마스 홉스(Thomas Hobbes, 1588~1679)는 국민을 지배하는 통치자의 최고 권력이 필요하다고 강조했어요. 홉스의 이런 생각은 그의 대표 저서인 《리바이어던》에 잘 나타나 있어요. 리바이어던은 구약성서에 나오는 거대한 동물로, 여기에서는 국가가 가지는 강력한 통치 권력을 의미해요. 이 책은 1651년 출판되어 당시 영국의 왕권 강화에 큰 도움을 주었을 뿐만 아니라 근대 국가론에도 큰 영향을 끼쳤어요.

홉스는 사람을 사회적인 존재가 아닌, 철저히 이기적인 존재라고 생각했어요. 자신의 이익을 위해서라면 수단과 방법을 가리지 않기 때문에 일정한 약속이 필요하다고 본 것입니다.

《리바이어던》의 표지

홉스는 국가와 사회가 필요한 이유를 다음과 같이 설명했어요. 사람들이 처음 모여 살기 시작한 원시 세상은 '무법천지의 자연 상태'예요. 사람들끼리 서로 싸우고 전쟁이 벌어지는 환경에서 사람은 평화는커녕 자신의 목숨조차 지키기 어렵겠지요. 이러한 무질서 상태를 막고 평화를 유지하기 위해서는 강력한 국가 권력이 필요합니다. 국가가 법과 제도로 강력하게 통치함으로써 평화로운 사회가 유지될 수 있다고 믿은 거죠. 이처럼 국가가 국민에게서 권력을 위임받아 질서와 평화를 유지하고 국민은 안전을 보장받는 관계는 일종의 계약이라고 할 수 있어요. 이를 사회계약론이라고 해요. 사회계약론에 따라 통치자는 권력을 행사하고 국민은 통치자의 결정에 따르고 복종해야 한답니다. 홉스는 이러한 절대 권력을 '리바이어던'으로 표현했어요. 국가는 국민을 강한 힘과 법으로 다스려야 한다는 홉스의 주장은 국민주권주의를 주장하는 칸트의 입장과 뚜렷한 차이가 있습니다.

60

칸트 실천이성비판

심옥숙 글 | 주경훈 그림

01 인간의 윤리를 심층적으로 다룬 책 《실천이성비판》을 쓴 사람은 누구일까요?

① 칸트　　② 루소　　③ 괴테　　④ 홉스　　⑤ 로크

02 우리가 사는 세상은 두 가지의 법칙으로 움직입니다. 하나는 본능적인 욕구와 충동을 따르는 법칙 (　㉮　)이고, 다른 하나는 의지에 따라서 행동하는 (　㉯　)입니다. 각 괄호에 들어갈 단어로 옳은 것은 무엇일까요?

① ㉮본능 법칙, ㉯자연법칙　　　② ㉮자연법칙, ㉯본능 법칙

③ ㉮자연법칙, ㉯도덕 법칙　　　④ ㉮도덕 법칙, ㉯자연법칙

⑤ ㉮윤리 법칙, ㉯도덕 법칙

03 칸트는 도덕적 행동이란 '스스로 깨닫고 이성적으로 받아들이는 의지'라고 하였습니다. 이러한 관점에서 보았을 때 도덕적 행동을 했다고 할 수 없는 사람은 누구일까요?

① 유나: 주말에 수영장에 놀러 갔는데 물에 빠져 허우적거리는 또래를 보았어요. 전 수영을 아주 잘해서 바로 물에 뛰어들어그 친구를 구했어요. 물에 빠진 사람을 보는 즉시 구하기 위해뛰어 들거나 다른 사람을 부르는 건 당연히 해야 할 일이니까요.

② 정식: 가게에서 물건을 사고 거스름돈을 받았는데 주인 아주머니가 원래 줘야 할 돈보다 더 많이 거슬러 주셨어요. 그래서 바로 잘못 주신 돈을 돌려드렸습니다. 그건 제 것이 아니니까요.

③ 준기: 문구점에 가기 전엔 항상 살 것을 미리 적어 놔요. 필요 없는 지출을 하는 건 옳지 못하기 때문에 그런 일을 미리 방지 하기 위해서죠.

④ 현지: 반 친구들에게 따돌림을 당할까 봐, 매일 친절하게 행동 하고 있어요. 이렇게 행동하면 친구들은 절대 저를 미워하지 않 을 거예요.

⑤ 서연: 버스를 탔더니 노약자석이 비어 있어서 앉으려 했어요. 그런데 바로 할아버지 한 분이 버스에 타셨어요. 그래서 저는비 어 있던 노약자석을 할아버지께 양보했어요. 몸이 불편하거 나 허약한 분들에게 자리를 양보하는 것이 당연하다고 생각했 기 때문이죠.

04 칸트는 인간이 단순히 도덕 법칙을 따르는 것으로 만족하지 않는다고 보았습니다. 도덕 법칙을 따름과 동시에 행복하기를 원한다고 생각했지요. 이렇게 도덕과 행복이 하나로 결합했을 때, 우리는 '이것'에 이르렀다고 표현합니다. 이것은 무엇일까요?

---

05 칸트는 이성이 우리에게 어떤 행동을 하도록 명령을 내린다고 보았습니다. 불완전한 인간의 의지에게 특별함을 가진 이성이 명령을 내린다고 하였지요. 이러한 이성의 명령에는 가언 명령과 정언 명령이 있습니다. 이 두 가지를 비교한 설명으로 틀린 것은 무엇일까요?

① 가언 명령은 개인의 목적을 달성하기 위해 사용하는 명령이다. 어떤 목적을 달성하려면 어떤 행동이 필요한지를 보여 줄 때 나타나는 것이다.

② 가언 명령은 모든 사람에게 통용되는 올바른 명령이다.

③ 가언 명령은 대개 '만약 ~을 원한다면 ~을 해야만 한다.'는식으로 표현된다.

④ 정언 명령은 그 자체로서 절대적 가치를 지니며 목적 그 자체라고 할 수 있다.

⑤ 정언 명령은 목적에 상관없이 행위 그 자체만으로 좋은 원리이므로 대개 '~을 해야만 한다.'는 식으로 표현된다.

06 어떤 행위를 두고 옳고 그름을 객관적으로 따져 보고 판단하는 것을 '지성'이라고 합니다. 지성은 잘못된 판단을 내릴 수 있지요. 반면 '양심'은 자신이 올바르다고 믿는 행위를 했는가, 하지 않았는가를 도덕적으로 판단합니다. 양심은 항상 자신의 내면에서 나오는 소리에 따라 행동을 결정하므로 잘못된 판단을 내릴 수 없습니다. 특히 칸트는 목적에 근거해 판단하는 양심을 가리켜 ○○○ 양심이라고 하였는데요. 이는 행동을 하기 전 결심을 하고, 그다음 행위를 하는 과정이 있으며, 마지막으로 행위 후에 반성을 하는 절차로 이루어집니다. ○○○은 무엇일까요?

---

07 '자유'는 칸트의 철학에서 중요한 개념입니다. 칸트는 자유를 '사람은 이성을 바탕으로 생각하고 행동할 수 있는 존재이다.'라는 말의 근거로 삼았지요. 자유가 있기에 이성을 바탕으로 스스로 생각하고 의지를 가지고 행동할 수 있다는 것입니다. 그리고 칸트는 우리가 사는 세계와 우주가 탄생한 원리도 이 자유에서 찾았는데요. 사람들의 경험적 시간을 초월해 시간 속에 있는 모든 사건을 시작하게 하는 근원적인 활동 능력을 일컫는 이 말은 무엇일까요?
① 초월론적 자유   ② 선택적 자유   ③ 시간적 자유
④ 한정적 자유   ⑤ 우주적 자유

08 '이 사상'은 칸트의 철학에 빼놓을 수 없는 사상입니다. 미신이나 인습에서 벗어나지 못한 사람을 자연 과학적 사고와 이성으로 일깨워 인간의 존엄성과 자유사상을 깨닫게 하는 것이 목표이지요. '무지'라는 어둠을 '이성'이란 빛으로 비추어 발전시킨다는 뜻을 지닌 이 사상은 무엇일까요?
① 고전주의　　② 타파주의　　③ 이성주의
④ 발전주의　　⑤ 계몽주의

09 칸트는 '덕은 가르칠 수 있고, 가르쳐야 한다.'고 말했습니다. 특히 청소년의 도덕 교육을 중요하게 여겼습니다. 그는 도덕 교육은 주입식으로 달달 암기하는 방법으로는 이루어질 수 없다고 주장하면, 반드시 실제 사례와 연계해 가르쳐야 한다고 강조했습니다. 이러한 칸트의 교육 방식을 한 단어로 무엇이라고 할까요?

_____

_____

_____

10 칸트는 사람을 수단이 아닌 목적으로 대해야 한다고 주장했습니다. 그의 관점에서 생각해 보았을 때, 아래와 같은 상황에 놓인 사람에게 어떤 조언을 해 줄 수 있을까요?

"새 학년이 되면서 반에 모르는 친구들이 많이 생겼어요. 저는 친구들과 잘 어울리며 올 한 해를 잘 지내고 싶었죠. 그러나 학기가 시작한 지 얼마 되지 않았는데도 반에 저를 싫어하는 무리가 생겨났어요. 담임선생님께서 제게 공부를 잘한다고 칭찬을 하셨던 게 마음에 들지 않았던 것 같아요. 그 친구들은 저를 못마땅하게 바라보며 괴롭히기 시작했어요.

그런데 어제였어요. 학교가 끝난 후 학원에 가는 길에 있는 후미진 골목에서 저를 괴롭히는 무리가 중학교 언니 오빠들에게 괴롭힘을 당하고 있는 걸 보았어요. 저는 재빨리 몸을 숨기고 그 모습을 지켜보았어요. 그 아이들은 꽤 오랜 시간 언니 오빠들에게 붙잡힌 채 괴로워했어요. 그렇게 괴롭힘을 당했던 일이 한두 번이 아닌 듯했어요.

아마 저 친구들은 언니 오빠들이 무서워 어른들에게 도움을 쉽사리 요청하지 못하고 있을 거예요. 그렇다면 제가 대신 어른들에게 도움을 요청하고 친구들을 도와줘야 하지 않을까요? 그런데 저 친구들은 저를 괴롭히는 나쁜 친구들인데…… 어떻게 하는 게 옳은 행동일까요?"

원전을 살려 쉽고 재미있게 쓴
한국고전문학읽기

전50권

홍길동전 | 춘향전 | 사씨남정기 | 양반전 외 | 장화홍련전 | 전우치전 | 심청전 | 허생전과 열하일기 | 토끼전 | 흥부놀부전

금오신화 | 박씨전 | 옹고집전 | 금방울전 | 구운몽 | 최척전 | 이춘풍전과 배비장전 | 조웅전 | 임경업전 | 옥단춘전과 채봉감별곡

박문수전 | 숙향전 | 바리데기와 당금애기 | 삼국유사 | 한중록 | 인현왕후전 | 운영전과 심생전 | 최고운전 | 숙영낭자전과 콩쥐팥쥐 | 우리나라 설화와 전설

왕오천축국전 | 삼국사기 | 삽교별집 | 장끼전과 두껍전 | 적성의전 | 파한집과 보한집 | 임진록 | 난중일기 | 유충렬전 | 창선감의록

요로원야화기 외 | 역옹패설 | 고려사 | 조선왕조실록1 | 조선왕조실록2 | 청구야담 | 윤지경전과 김원전 | 동문선 | 계축일기 | 고대 가요

허균 외 원작 | 전윤호 외 글 | 최정인 외 그림 | 144~212쪽 | 각권 9,500원, 세트 475,000원 | 독자 대상 4학년~중학생

소년한국일보
좋은 어린이책
대상 수상

소년조선일보
2013
올해의 어린이책

제22회
대통령상타기 전국
고전읽기 백일장
본선대회 도서

한국소설가협회
추천도서

한국어린이교육
문화연구원
으뜸책 선정

우리나라 대표
시인과 소설가가 풀어쓴 고전!

〈춘향전〉〈심청전〉〈흥부놀부전〉〈박씨전〉〈최척전〉〈장끼전과 두껍전〉
〈고대 가요·한시·시조〉등 초·중등 국어 교과서 수록 작품과 수능 및
모의고사 출제 작품까지 분석해서 목록을 구성했습니다.

서울대학교 국어국문학과
김유중 교수가 직접 쓴 작품 해설!

고전이 탄생한 시대적 배경과 작품의 의미 등
전문가가 직접 쓴 신뢰할 수 있는 해설은 고전을 읽는
즐거움을 느끼게 해 줍니다.

바른 인성 교육 해법과
초·중 문학 교육 과정의 필독서

김종광, 정길연, 고진하, 서유미, 김이정, 전성태 등
소설가와 시인이 고전의 참맛을 살리면서도
우리말과 글의 아름다움을 살려 읽기 쉽게 풀어썼습니다.

김유중(서울대학교 국어국문학과 교수)

장끼전과 두껍전 | 허생전과 열하일기 | 홍길동전 | 조선왕조실록1 | 고려사

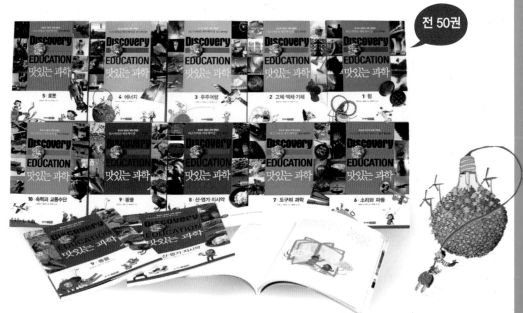